Costumes à la cour de Vienne, 1815 - 1918

Palais Galliera

Musée de la Mode et du Costume

12 octobre 1995 - 3 mars 1996

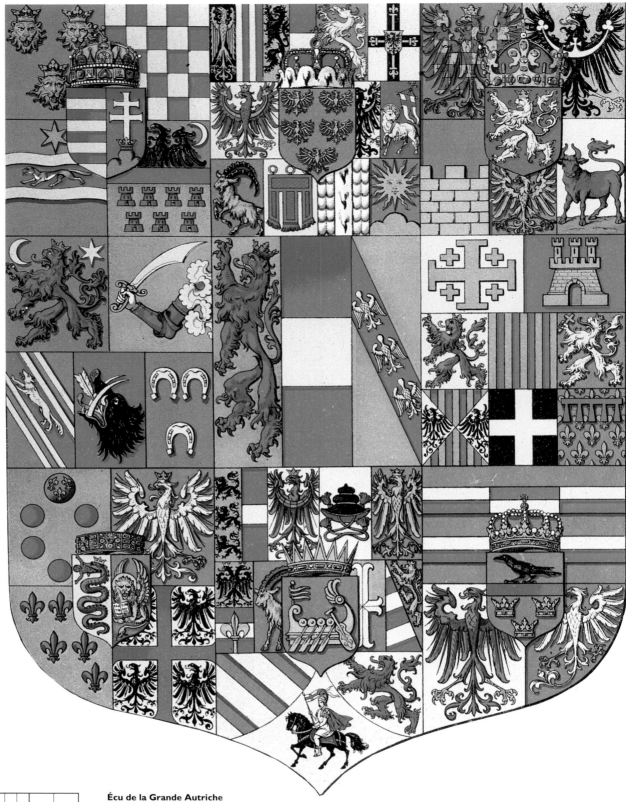

Écu de la Grande Autriche jusqu'en 1866, dessiné par Hugo Gerhard Ströhl (1851-1919).

1 Ancienne Hongrie,
2 Nouvelle Hongrie, 3 Dalmatie,
4 Croatie, 5 Slavonie, 6 Transylvanie,
7 Basse-Autriche, 8 Haute-Autriche,
9 Salzbourg, 10 Styrie, 11 Ordre Teutonique, 12 Tyrol, 13 Trente,
14 Bressanone, 15 Hohenems (Vorarlberg), 16 Feldkirch (Vorarlberg),
17 Bregenz (capitale du Vorarlberg),
18 Sonneberg (Thuringe?), 19 Bohème,
20 Moravie, 21 Silésie,
22 Haute-Lusace, 23 Teschen

(en Silésie), 24 Basse-Lusace,
25 Coumanie (Hongrie), 26 Bosnie,
27 Bulgarie, 28 Serbie, 29 Rascie (nom médiéval du noyau central de la Serbie),
30 Habsbourg, 31 Autriche,
32 Lorraine, 33 Jérusalem, 34 Castille,
35 Léon, 36 Aragon, 37 Indes Occidentales, 38 Sicile, 39 Calabre,
40 Naples, 41 Milan, 42 Venise,
43 Toscane, 44 Modène,
45 Parme et Plaisance, 46 Guastalla,
47 Illyrie, 48 Carinthie, 49 Carniole,

50 Windische Mark (en ancien allemand Windisch = Slave), 51 Frioul,
52 Trieste, 53 Istrie, 54 Gradisca,
55 Goritz (ou Gorizia), 56 Raguse (Dubrovnic), 57 Cattaro (ou Kotor en Dalmatie), 58 Zara (actuellement Zadar, capitale de la Dalmatie),
59 Galicie, 60 Lodomérie,
61 Auschwitz, 62 Zator

Comité d'honneur

Jean Tibéri
maire de Paris

Hélène Macé de Lépinay
adjoint au maire
chargé des Affaires culturelles

Jean-Jacques Aillagon
directeur des Affaires culturelles
de la Ville de Paris

Édouard de Ribes
président de Paris-Musées

Comité d'organisation

François Laquièze
sous-directeur chargé de la
Coordination administrative et
financière, direction des Affaires
culturelles de la Ville de Paris

Patrice Obert
sous-directeur chargé du Patrimoine
direction des Affaires culturelles
de la Ville de Paris

Sophie Durrleman
chef du Bureau des musées,
direction des Affaires culturelles
de la Ville de Paris

Sophie Aurand
directeur de Paris-Musées

L'exposition est réalisée par le musée de la Mode et du Costume de la Ville de Paris, en collaboration avec le Kunsthistorisches Museum/ Musée des Beaux-Arts de Vienne, avec le concours de l'Institut autrichien de Paris et de la direction des relations internationales de la Ville de Paris.

Commissariat

Commissaire général
Catherine Join-Dieterle
*conservateur en chef du musée
de la Mode et du Costume*

Commissaire scientifique
Dr Georg J. Kugler
*conservateur en chef de la collection
Wagenburg/Monturdepot
du Kunsthistorisches Museum, Vienne*

Commissaire exécutif
Marie-Odile Briot
*conservateur en chef au musée
de la Mode et du Costume*

Commissaire associé
Dr Monica Kurzel-Runtscheiner
*conservateur au Kunsthistorisches
Museum, Vienne*

Commissaire administratif
Sylvie Glaser-Chuard
*secrétaire général du musée
de la Mode et du Costume*

Scénographie
Didier Gomez
(agence Ory-Gomez)
Eric Fréminet, *chef de projet*

Attaché de presse
Jean-François Vannierre

Nous remercions pour leurs contributions au catalogue :
Marie-Odile Briot, la coordinatrice ;
Georg J. Kugler, Monica Kurzel-Runtscheiner, les auteurs ;
ainsi que Katalin Földi-Dozsa,
Lilla Tompos, Angela Völker,
et Karl Lagerfeld ; François Mathieu,
le traducteur.

Nous remercions également,

à Paris-Musées
Evelyne d'Aspremont,
Catherine de Bourgoing,
Pascale Brun d'Arre, Catherine
Carrasco, Cécile Guibert,
Sophie Kuntz, Annie Pérez,
Virginie Perreau, Corinne Pignon,
Arnauld Pontier, Nathalie Radeuil
et leurs équipes et Christophe Walter,
photographe.

au musée
la bibliothèque : Annie Barbera,
Sylvie Roy

le secrétariat : Marie-France Lary,
Françoise Barrois-Pestre, Claire
Léonard, Martine Picard
le personnel d'accueil et de surveillance,
ainsi que Nadine Haas et Jeanine
Daynié, et Karin Schöenhofer, Sonia
Lemagnen, Thierry Hubert, Annie Leroi
l'atelier de restauration :
Joséphine Pellas, Antoinette Villa,
Liliane Bolis, Maryline Naudon,
Marie-Françoise Prigent,
Michèle Gaillard, Évelyne Poulot
le service éducatif et conférences :
Nicole Stierlé, Miraise Carrière,
Diane de la Chapelle.

**à la direction des Affaires
culturelles de la Ville de Paris,**
Maryvonne Deleau, Florence Duhot,
Robert Desechalliers.

Nous remercions les musées dont les prêts ont permis de réaliser l'exposition :

KHM - Kunsthistorisches Museum/
Musée des Beaux-Arts, collection
Wagenburg/Monturdepot et galerie
des peintures (Dr Schütz, directeur),
Vienne
Österreichische Nationalbibliothek/
Bibliothèque nationale, Vienne
Österreichische Galerie/Galerie d'art
autrichien du Belvédère, Vienne

(Dr Gerbert Frodl, directeur)
HMS - Historisches Museum der Stadt
Wien/ Musée d'Histoire de la Ville de
Vienne (Dr Günter Düriegl,
directeur des musées de la Ville
de Vienne et Dr Regina Karner,
conservateur en chef du département
de la Mode, Hetzendorf)
MAK - Museum für angewandte
Kunst/Musée des Arts appliqués, Vienne
(Dr Peter Noever, directeur, Dr Angela
Völker, conservateur en chef)
Heeresgeschichtliches Museum/Musée
d'Histoire de l'armée, Vienne
(Dr Manfried Rauchensteiner, directeur
Dr Liselotte Popelkat, conservateur en
chef)
MNM - Magyar Nemzeti Muzeum/
Musée national hongrois, Budapest
(Istvan Gedaï, directeur et Tibor
Kovacs, directeur adjoint).

Ainsi que l'ordre de la Toison d'or
et Son Altesse impériale et royale,
Otto de Habsbourg.

Nous remercions pour leurs conseils
scientifiques ou leur aide à la
réalisation :
Les services culturels de l'ambassade
d'Autriche, à Paris
S.E. Me Eva Nowotny
Ambassadeur d'Autriche en France

et Mme Helene Lamesch
Ainsi que S.E M. André Lewin
Ambassadeur de France en Autriche
et Mme Catherine Clément

Le Musée de la Mode et des Textiles
(Katell Le Bourhis, directeur).
Dr Georg Jankovic, directeur de
l'Institut autrichien, Paris et Jutta
Perisson, attachée culturelle, Johanna
Pfeiffer, documentaliste, ainsi que M.
Altmüller
L'Institut hongrois, Paris, son directeur
et Douchy Varga, responsable des
activités artistiques.
Frédéric Lacaille, Michèle Pierron et
Jean-Pierre Reverseau au Musée de
l'Armée, Paris,
France Grand, historienne de la mode,
Paris
Rudolf Novak, conseiller culturel à la
délégation permanente de l'Autriche
auprès de la Communauté européenne,
Bruxelles
Sophie de Langlade, directrice de la
communication presse chez Karl
Lagerfeld ; Marie-Louise de Clermont-
Tonnerre, directrice de la
communication de Chanel ;
Martin Margiela ainsi qu'Eliane
Bonabel.

Très sensible à l'accueil réservé au
service de presse pour la promotion
de l'exposition au SEHM,
et Prêt-à-Porter, Paris, le musée
remercie chaleureusement :
Claude Miserey, président du SEHM ;
Christine Walter-Bonini, directrice
de la promotion ; Alain Camilleri,
attaché de presse.
David Pisanti, *président de la fédération
du Prêt-à-porter féminin ;*
Gérard Roudine, *délégué général
de la fédération du Prêt-à-porter féminin ;*
Jack Bernard, *commissaire général
du salon du Prêt-à-porter, Paris ;*
Evelyne Clauss, *directrice
de la communication.*

NEGOCIA, école de la Chambre de
commerce et d'industrie
de Paris, dont les étudiants ont réalisé,
sous la direction de Christian Harel
et Danielle Razetto, la présentation
de l'exposition au SEHM.

Et l'Hôtel du Louvre, Valérie Calvi,
relations publiques.
Ainsi que l'Office national du tourisme
autrichien, Michæl Krainer, directeur,
Dominique Darrigade, attachée de
presse.

Sommaire

De la Hofberg à Galliera

𝔄u moment où la Communauté européenne accueille l'Autriche et où se pose la question de son élargissement à des pays d'Europe qui avaient pour suzerain les Habsbourg, la nécessité de se pencher sur l'histoire de l'Empire autrichien, histoire souvent méconnue, s'impose. Nous n'ignorons pas que depuis vingt ans environ, de nombreuses publications et manifestations se sont multipliées, preuve de ce nouvel intérêt et que l'exposition organisée au Centre Georges Pompidou en 1986, « L'Apocalypse joyeuse » en a constitué l'apothéose. Pourtant si Vienne autour de 1900 est aujourd'hui mieux comprise, il n'en est guère de même du siècle qui l'a précédée, écrasée en quelque sorte entre les règnes de Marie-Thérèse et de Joseph II et le renouveau au tournant du XXᵉ siècle. Aussi l'exposition consacrée aux costumes à la cour de Vienne au XIXᵉ siècle contribue-t-elle à combler cette lacune, faisant découvrir quelques-uns des aspects de la culture autrichienne. Aucune fatuité dans cette affirmation, car l'histoire du costume porté à la cour renvoie comme un miroir à celle de l'Empire.

Fondé en 1804, deux ans avant la disparition du Saint Empire romain germanique sous les coups de Napoléon Iᵉʳ, l'Empire a eu très tôt le sentiment de sa fragilité et le pressentiment de sa fin. Arc-bouté sur son passé, il s'enferma dans un conservatisme peu propice à l'éclosion de grandes manifestations culturelles. Une partie de cette histoire est illustrée par les costumes présentés dans cette exposition. Ainsi la multiplication des uniformes qui, comme nous l'explique le Dr Georg Kugler, envahirent l'ensemble du territoire, était fondée sur la bureaucratisation du pays ; née au XVIIIᵉ siècle, elle s'accentua au siècle suivant et s'accompagna du développement sans précédent du nombre des fonctionnaires. L'inflation de costumes qu'on aurait pu en attendre se trouva néanmoins limitée, car fonctions et charges officielles étaient dans les mains d'une même caste et la plupart des aristocrates en cumulèrent plusieurs. En outre, ces uniformes constituaient l'expression du lien qu'entretenaient leurs propriétaires avec l'Empire et même avec l'empereur, signataire avec le grand intendant, des décrets qui en fixaient les formes, les coloris, l'ornementation. Certes l'uniforme se répandit

Page 2
1 - L'empereur
François-Joseph Iᵉʳ
en uniforme de gala
de feld-maréchal autrichien,
tenue hongroise.
Tableau de Mihaly von
Munkacsy, 1895 (cat. 9).

Page 8
2 - L'empereur
François-Joseph.
Tableau de Franz Xaver
Winterhalter, 1865.

aussi dans d'autres pays européens, en France notamment, mais il y était d'abord compris comme l'appartenance à un corps.

En Autriche, la grande diversité de ces uniformes illustre la pérennité des institutions, l'importance donnée à l'ordre et à la hiérarchie, à la différence de la France où les révolutions successives modifièrent l'étiquette et firent disparaître les « institutions » de l'Ancien Régime ; l'Autriche en dépit de troubles répétés a maintenu les siennes, ajoutant progressivement celles nécessitées par la modernisation de l'État.

Si toutes ces tenues n'ont pas été conservées, il en subsiste suffisamment pour comprendre aujourd'hui le fonctionnement de la maison impériale et celui de la cour, le rôle des Ordres dans la vie nationale, mais aussi pour rappeler le caractère multinational de l'Empire.

Cinquante-cinq tenues masculines sont ainsi réunies au Palais Galliera et, depuis la brillante exposition sur les uniformes civils organisée par Mlle Delpierre en 1982, le musée n'avait pas eu l'occasion de présenter autant de costumes masculins ; on ne peut que s'en réjouir. Cette manifestation est donc assez différente des expositions que le musée présente habituellement : la stabilité toute relative de l'uniforme est en opposition totale avec l'idée que l'on se fait de la mode en perpétuel changement. Mais elle est aussi différente de l'exposition « Modes romantiques viennoises » qu'avait organisée en 1969, avec notre musée, le Musée d'histoire de la ville de Vienne. Pourtant, grâce aux prêts que celui-ci nous a consentis, et ceux du Musée des Arts décoratifs de Vienne et du Musée national hongrois, la mode n'est pas absente de cette manifestation comme en témoignent dix-neuf costumes féminins dont sept ont été portés par l'impératrice Élizabeth. Une vingtaine de peintures permettent de remettre ces costumes dans leur contexte historique.

Avec cette exposition, le musée poursuit sa politique d'ouverture, en parallèle à la mise en valeur de ses collections. En élargissant le champ de la connaissance sur l'histoire du vêtement, il fait aussi découvrir une autre culture, à la fois proche, bien des ornements de ces uniformes rappellent ceux qui furent créés sous Napoléon Ier, mais aussi différente de la nôtre comme le montrent les uniformes hongrois.

Nous sommes très heureux d'accueillir cette manifestation qui a été présentée dans une version plus importante au Metropolitan Museum à New York en 1979 sous le titre « Fashions of the Hapsburg Era : Austria-Hungary » et dans une

version plus proche de la nôtre en 1989, à Vienne sous le titre «Des Kaisers Rock». Nous en remercions bien vivement son auteur le Dr Georg Kugler, directeur des collections du Monturdepot, de la Wagenburg et de la bibliothèque du Kunsthistorisches Museum de Vienne et son assistante, le Dr Monica Kurzel-Runtscheiner, ainsi que les départements de peinture du Kunsthistorisches Museum et du Musée d'histoire de la ville de Vienne, la galerie autrichienne du Belvédère et le Musée d'histoire de l'armée qui, à la demande de nos partenaires, ont accepté de prêter les peintures dont la présence éclaire le sens des costumes présentés. Conscients de la qualité historique du patrimoine que nous exposons, nous sommes spécialement honorés qu'y figurent les costumes déposés au Monturdepot par l'ordre de la Toison d'or et par Son Altesse impériale et royale, Otto de Habsbourg.

3 - Le 11 mars 1810, la grande-duchesse épousa l'empereur Napoléon dans l'église des Augustins à Vienne, le marié étant représenté par l'oncle de la mariée, le grand-duc Carl. Marie-Louise était donc déjà l'épouse de Napoléon quand elle fut confiée par le prince Trauttmannsdorff, grand intendant le 16 mars 1810 à Braunau-sur-l'Inn, au maréchal Berthier, prince de Neuchâtel et de Wagram. À droite en retrait, l'escorte autrichienne en partie vêtue d'habits officiels brodés à la mode qui se distinguent nettement de l'uniforme français de la cour du maréchal. Deux pages tiennent la traîne de l'«impératrice».
Tableau de Johann Baptist Hœchle, 1814.

L'empereur
François-Joseph, suivi des
archiducs et des officiers
suprêmes de l'armée, se
rend au repas de gala donné
à l'occasion du centenaire
de l'ordre militaire de
Marie-Thérèse, en 1857.
Tableau de Fritz
L'Allemand.

L'uniforme évitait dans le temps l'uniformité

Quand l'armée autrichienne défila une dernière fois dans les rues de Vienne au moment de la déclaration de guerre de 1914, quelqu'un remarqua : «Ils sont trop "jolis" pour aller à la guerre», on connaît malheureusement la suite. La vie a perdu son éclat quand cette funeste guerre a éclaté.

Même les tenues de deuil étaient d'une grande richesse. Le mot « Pompes funèbres » avait alors un vrai sens.

L'enterrement de l'empereur François Joseph et le couronnement de l'empereur Karl et de l'impératrice Zita furent les dernières représentations de gala d'une monarchie déclinante. L'ancien régime avait survécu au XIXe siècle dans les uniformes et les « Staafsfrack » des cours européennes et surtout celle de Vienne.

Entre une tenue de gala d'un ministre autrichien des années 1830 et un habit de 1785 il n'y avait pas de différence. La coupe, l'allure, la ligne, la matière et les broderies étaient les mêmes. C'est seulement dans la deuxième partie du siècle dernier que les dignitaires de la cour ont renoncé à porter ces habits fabuleux, laissant aux laquais, aux suisses et aux cochers ces vestiges d'une autre époque.

Le personnel féminin de la cour et des grandes maisons était habillé de façon relativement discrète. Là, l'homme était l'oiseau de paradis, fier de porter les couleurs de son empereur ou des grandes familles, comme les Esterhazy, Harrach ou Schwarzenberg.

Les couleurs vives et les broderies chamarrées des uniformes et des livrées animaient visuellement le visage de la ville si triste, si terne et si négligé aujourd'hui.

Les tableaux de Fendi, L'Allemand, Schindler et Moll, nous montrent bien l'animation colorée des rues de Vienne au XIXe siècle.

La vie de la cour et des palais princiers était une perpétuelle parade.

La bourgeoisie triomphante a enlevé les lettres de noblesse à l'état de serviteur. La fierté de servir a disparu avec la beauté des tenues de cette fonction. Rien

4 - Collier de la Toison d'or. L'ordre fut fondé en 1429 à Bruges par Philippe le Bon, duc de Bourgogne, le jour de son mariage avec Isabelle de Portugal. Il échut aux Habsbourg par le mariage de Maximilien Ier avec la duchesse Marie de Bourgogne, unique héritière de Charles le Téméraire.

n'était plus snob que le personnel de la cour et des grandes maisons.

Comme pour la haute couture, il y avait tout un langage pour désigner et décrire leurs tenues. Les détails et les accessoires étaient des plus compliqués. Toute une industrie de luxe vivait de cette tradition. Cette collection unique érige un mouvement durable en l'honneur d'un art du costume, du commerce de luxe, de la mode et du goût d'une époque à jamais disparue. Ce luxe devait rendre l'inégalité sociale supportable.

On reconnaissait une nation riche et apparemment heureuse à l'élégance, à la splendeur et à la variété de ses uniformes, tenues officielles et même de ses livrées.

On imagine mal aujourd'hui le plaisir, la joie presque physique, narcissique même, de porter de telles tenues. Embellir les hommes à ce point paraîtrait douteux de nos jours. Le simple mot d'« Edelknabe » sonne comme un hymne à la pédophilie à nos oreilles prudes d'aujourd'hui.

À part les bijoux et les longues traînes brodées des grandes dames de la cour un jour de « Hofball » rien ne pouvait égaler ces tenues fabuleuses portées au quotidien par les hommes. Friedrich Wilhelm Mürnau a laissé un hommage à la mémoire du prestige de l'uniforme et de la livrée avec son chef-d'œuvre *Le Dernier des Hommes*. Emil Jannings, dépouillé du prestige de sa tenue chamarrée de portier de palace, y était un homme fini, un homme presque mort. Le fait qu'il s'agisse d'un employé d'un grand hôtel n'y change rien. Ces grands établissements étaient, après la première guerre mondiale, les derniers endroits où l'on portait des uniformes richement galonnés d'or au quotidien.

Les quelques cours survivantes en font un usage modéré, réservé aux grandes et rares cérémonies et occasions qui existent encore pour nous signaler leur survie.

Une telle exposition est passionnante, mais elle montre aussi la banalisation qu'apporte le progrès.

Commémoration de la fondation de l'ordre de Marie-Thérèse, dans la Grande Galerie de Schönbrunn, en 1857. Tableau de Fritz L'Allemand.

L'Histoire en costumes

1815 - **A**près la secousse révolutionnaire française et son expansion napoléonienne, le Congrès de Vienne a remodelé l'Europe en Etats monarchiques, donnant à l'Autriche, gouvernée depuis le XIIIe siècle par la dynastie des Habsbourg, un rôle politique de premier plan. Vienne est la capitale d'un empire de 700 000 km² et 52 millions d'habitants.

1914 - Bien qu'elle ait perdu les provinces italiennes (la Lombardie et la Vénétie) et son hégémonie politique sur l'Allemagne, l'Autriche-Hongrie est la quatrième puissance européenne, après la Grande Bretagne, l'Allemagne et la France. La vie artistique et intellectuelle de Vienne est l'une des plus brillantes d'Europe, sinon la plus brillante. Ni ses protagonistes, ni les autres, ne croient à l'apocalypse.

En riposte à l'attentat de Sarajevo, François-Joseph déclare la guerre à la Serbie. Il croit à une guerre locale, le jeu des alliances en fait la Première Guerre mondiale du XXe siècle.

1918 / 1920 - La Grande Guerre s'achève par le démantèlement de l'Empire au nom des Etats-nations, d'abord auto-proclamés en 1918, puis enterinés tels quels et sans appel, par les traités de Saint-Germain et de Trianon, qui règlent respectivement le sort de l'Autriche et celui de la Hongrie, en 1920. Les Etats successeurs sont : l'Autriche actuelle (les provinces allemandes de l'archiduché initial) , la Hongrie actuelle, amputée de la Transylvanie rattachée à la Roumanie, l'ex-Tchécoslovaquie, l'ex- Yougoslavie. Vienne devient la capitale d'une république de 84 000 km² et 6 millions d'habitants.

Croyant d'un coup de plume rayer la dernière tête couronnée, les traités font table rase de l'Europe, telle qu'elle s'est plus ou moins faite en mille ans, sous les formes d'Ancien Régime, certes, dans les abus et la violence. Mais plus qu'aujourd'hui ? Sans nostalgie d'un âge d'or monarchiste, une question seulement, pour essayer de continuer à penser en cette autre fin de siècle.

Documents ou reliques, les vêtements sont probablement les témoins les plus pathétiques et les plus troublants de l'histoire. Ils sont cette autre peau que les acteurs avaient choisie – ou qu'on leur assigna – pour y paraître et y tenir leur rôle et ils nous apparaissent, tels les mues du serpent vides de corps, tabous. Et plus que tout autre, les dépouilles des princes, qui de leur vivant déjà marchaient un pied dans l'histoire, l'autre dans la légende. Ici, l'Ouroboros laissent ses mues, dans un silence de sphynx figé au bord du temps. Elles entrent d'emblée dans le mythe et sa psychologie contradictoire. L'histoire des costumes de cour conservés au Monturdepot en est l'illustration.

Le noyau initial de la collection est constitué de ce qui resta de la garde-robe de la maison impériale, après sa dissolution en 1920. D'abord incorporée à l'inspection générale des costumes, elle entra dans le patrimoine en 1922, les costumes de la Toison d'or restant propriété de l'Ordre. Mais elle n'était pas quitte des vicissitudes d'une Cacanie sans qualités. En 1930, on en vendit des doublons pour acheter de quoi la protéger des mites. Dans la décennie suivante, elle fit les beaux jours des corsos du Prater et la garderobe de l'ordre de Saint-Étienne fut restituée aux Hongrois. L'été 1938, on en transféra à Dresde certains costumes et des bijoux, restitués depuis. L'hiver 1942, l'armée allemande s'annexa les fourrures, ne laissant que la panthère de l'uniforme de la Garde hongroise. De 1940 à 1943, les costumes furent loués au cinéma *Cf Wiener Blut, Schönbrunn et Wien 1910*. Ils échappèrent néanmoins aux bombardements et furent intégrés au Musée de la Culture autrichienne en 1947, mais leur reconnaissance comme collection à part entière date de 1951, après que l'Autriche eut recouvré sa souveraineté. S'ensuivirent de nombreuses acquisitions, on cessait de les voir comme des curiosités. Le succès de l'exposition de New York en 1979-1980, les fit définitivement entrer dans le patrimoine international. C'est depuis, la première fois qu'ils sont montrés hors d'Autriche, accompagnés de l'étude qu'en a faite Georg J. Kugler, lors de leur précédente exposition en Autriche, sous le titre *Des Kaisers Rock*/ La Garde-robe de l'Empereur.

L'essentiel de son travail porte sur l'histoire des uniformes tels qu'ils furent réglementés par decrets impériaux, au cours du dernier siècle de la monarchie. L'uniforme est un costume dont un règlement, correspondant à une fonction ou à un statut, définit la forme, le tissu, la couleur et l'ornement. Aussi l'analyse des uniformes nous entraîne-t-elle au cœur du «tissu» politique de l'Empire. C'est dire l'intérêt historique de l'exposition.

Dans le texte qu'il a écrit pour la manifestation parisienne, Georg J. Kugler relève l'incohérence du jugement qui valorise la production artistique d'une époque en condamnant le système qui l'a produite. Que l'exposition provoque les questions philosophiques et historiques que révèle et occulte cette incohérence, tel est notre souhait.

En effet, tous les commentateurs de Vienne-Fin-de-Siècle insistent sur le cosmopolitisme qui lui valut sa fulgurance artistique et intellectuelle, en faisant l'impasse du système politique qui lui valait son cosmopolitisme. Piégés dans l'historicité immédiate, ils entérinent la sécession et constatent que cette sécession trouva son mécénat dans la « seconde société » viennoise, hors la cour – et s'arrêtent là. François-Joseph préférait peut-être la chasse aux beaux-arts, en fera-t-on un trait génétique des Habsbourg ? Comment faire l'économie de « la longue durée » quand on aborde, à son terme, l'histoire du plus ancien empire d'Europe ? Le voudrait-on, que les costumes de cour nous rappelleraient au premier coup d'œil l'affleurement au présent des strates de l'histoire. Ainsi, la célèbre Toison d'or, qui semble sortir de la nuit des Niebelungen (en fait, créée en 1429 par Philippe le Bon) – ou les livrées de laquais « à l'espagnole », comme les attelages – ombres gracieuses de Charles-Quint !

Vienne serait-elle la métropole incontestée de la musique et de la recherche musicale, sans le mécénat de ses princes depuis le XVe siècle ? On lira dans tous les bons guides que Maximilien Ier fonda en 1498 le chœur des Petits Chanteurs de Vienne (Wiener Sängerknaben) où débutèrent Joseph Haydn et Franz Schubert – Beethoven et Schubert : « première Ecole de Vienne », contemporaine du décret qui fixa les premiers uniformes de l'empire d'Autriche juste avant le Congrès de Vienne, et contemporaine de la valse. La valse, dont la mode se répandit comme une traînée de poudre à l'époque Biedermeier, fut inventée à partir d'une danse populaire du Tyrol, par Joseph Lanner et Johann Strauss, l'aîné, qui dirigera l'orchestre de la cour. L'impératrice Élisabeth le cite dans son poème *Bal à la Cour*. Double raison de faire de la valse un repère de l'exposition.

Souverain de son temps et continuateur de la politique culturelle des Habsbourg, François-Joseph dota Vienne de musées, comme le firent alors tous ses pairs dans toutes les capitales d'Europe, et leur gestion, comme celle de la Bibliothèque et de l'Université, relevait directement du budget et de l'administration de la maison d'Autriche. Le conservateur du Kunsthistorisches Museum avait rang de dignitaire de cour. On n'a pas retrouvé son uniforme après 1920.

Le 25 décembre 1857, François-Joseph ordonna de raser le bastion entourant Vienne pour y contruire le Ring. Qu'aurait été l'architecture du XXe siècle sans le débat que suscita ce vaste programme urbain, entre l'historicisme des premières réalisations dirigées par Sitte et le fonctionnalisme d'Otto Wagner qui, en 1893 devint le maître d'œuvre de son extension ? (cf. C.Schorske : *Vienne Fin de Siècle*). Cofondateur de la sécession, Otto Wagner fut conseiller auprès du ministère de l'éducation et de la culture et on peut l'imaginer dans l'un des uniformes exposés. Il est possible que François-Joseph fermât ses fenêtres pour ne pas voir la maison de Loos, mais Adolf Loos forgea sa vision dans la polémique du Ring. Que demander d'autre à un empereur que de prendre la décision politique qui fait exister le débat d'idées et les assauts d'imaginaire en art ?

L'Opéra fut la première réalisation du Ring, Gustav Mahler avait 38 ans quand il en fut nommé directeur. Il n'eut qu'à traverser la rue pour inaugurer, en 1899, la seconde exposition de la sécession dédiée à Beethoven, en conduisant l'orchestre de l'Opéra dans l'interprétation des chœurs de la *9e Symphonie*. Pour l'occasion, Klimt avait peint une fresque remise en place dans le bâtiment de la sécession après sa reconstruction, suite à la guerre. Par contre, sont à jamais tombé sous les bombes, les peintures qu'il réalisa pour l'Université, dont l'allégorie de *La Philosophie* qui déclencha foudres et pétitions contre – et pour, de 1900 à 1905. La sécession et Klimt y perdirent l'appui du ministère de l'Éducation, c'est dire que jusqu'alors ils l'avaient eu. En France, quelques années plus tard, le cubisme fera l'objet d'une question à l'Assemblée nationale concernant la permissivité de telles horreurs. On ne sait pas ce qu'en pensait le président de la République et on ne lui en fait pas procès. À Vienne, la seconde sécession (1906) ayant toujours Klimt à sa tête, fut effectivement en rupture avec la politique officielle. C'est certes à ce mouvement que participèrent Schiele et Kokoshka pour les arts plastiques, Schoenberg pour la musique. La «seconde École de Vienne» était née. Schoenberg mettait au point le système dodécaphonique ; il écrivait *Le Pierrot lunaire* en 1911. C'est sur cette musique que s'achève l'exposition, par une salle évoquant le couronnement du dernier empereur, à Budapest, en 1916. Liszt avait composé celle de la *Messe du Couronnement* de 1867.

Et voici que s'achève ce texte, dans l'espace qui m'est imparti pour présenter l'exposition «Costumes à la cour de Vienne», dont le propos n'est pas de présenter les milieux artistiques de Vienne, ni même d'étudier la dialectique qu'ils entretenaient avec la Cour ou la politique impériale. Ai-je trahi les objets que je dois montrer, à tourner autour de leur muette splendeur ? Je ne le crois pas. Je souhaite qu'on les voie et qu'on se souvienne de les avoir vus. Il est difficile à une tête française, produit d'une nation unifiée depuis le Moyen Âge, absolument centralisée depuis le XVIIe siècle et propagandiste de l'idée d'État-nation trop vite identifiée à celle des droits de l'homme, de comprendre la structure, à la fois hiérarchique et informelle de la « monarchie aux multiples nations ». Le seul lien entre ces peuples de religions, de cultures et de langues différentes était dynastique. On était sujet de l'Empereur et à ce titre, on participait d'une supra-nationalité, celle que regrette Stefan Zweig que je viens de citer et dont, tout républicain qu'on soit ou parce qu'on l'est dans l'universel, on se prend à rêver. « La différence disparaît dans le luxe », écrivait Metternich dans un rapport préconisant l'uniforme. À vouloir faire de l'histoire à ras de couture et à fleur de broderie, les questions vous prennent la tête et vous font trébucher entre les promesses des légendes et les souvenirs d'utopie.

5 - **Robe de deuil de l'impératrice Élisabeth, après 1877 photographiée à Schönbrunn (cat. 56)**

« Je suis né en 1881 dans un grand et puissant empire, celui des Habsbourg ; mais qu'on ne le cherche pas sur la carte ; il en a été effacé sans laisser de traces. (...) Tout, dans ce vaste empire, demeurait inébranlablement à sa place, et à la plus élevée le vieil empereur ; et s'il venait à mourir, on savait (ou on croyait) qu'un autre lui succéderait et que rien ne changerait dans cet ordre sagement concerté. Personne ne croyait à la guerre, à des révolutions, à des bouleversements. Toute transformation radicale, toute violence paraissait presque impossible dans cet âge de raison. »

Stefan Zweig :
Le Monde d'hier,
souvenirs d'un Européen,
Paris, Albin Michel, 1948,
traduction de Die Welt von Gestern,
Stockholm, Bermann-Fisher Verlag
AB, 1944

La monarchie austro-hongroise et Vienne au XIXe siècle

Notre capacité de réception intellectuelle s'est beaucoup développée depuis le XVIIIe siècle. Européens ou «européanisés», nous entrons dans la culture de pays divers, et d'époques différentes. Des œuvres littéraires, musicales et surtout plastiques des siècles passés nous charment, alors que nous n'avons qu'une vague idée des forces spirituelles, religieuses et politiques qui animaient les États dans lesquels elles se sont développées, que, selon les principes démocratiques et libéraux qui sont aujourd'hui les nôtres, nous les jugeons avec suffisance et n'aurions voulu vivre ni à ces époques, ni sous ces régimes. Cette remarque vaut pour les centres artistiques les plus extraordinaires au moment de leur apogée : la Rome du XVIe siècle, la Hollande du XVIIe siècle et la Venise du XVIIIe siècle. Nous condamnons les mœurs des puissants, leur intolérance religieuse ou leur myopie politique. Et nous admirons sans réserve leur jugement artistique, leur généreux mécénat ou leur engagement personnel en faveur d'une vie culturelle florissante. Ces jugements révèlent le rapport contradictoire que nous entretenons avec le passé. Nous devrions, à l'occasion, le soumettre à la critique et tenter de saisir toute la réalité historique d'un État ou d'une époque. Nous verrions immédiatement que notre critique est prématurée et notre admiration, superficielle.

L'empire de François-Joseph, – l'empire d'Autriche et la monarchie austro-hongroise de la seconde moitié du XIXe siècle – est en général abordé à travers une foule de préjugés politiques, alors que simultanément, on en admire de plus en plus la culture.
La monarchie des Habsbourg hérita du plus grand État de l'empire romain germanique dissout en 1806, sous la pression de Napoléon, et désintégré en Confédération rhénane sous protectorat français, Prusse, Saxe et Autriche. François II, dernier empereur romain germanique, et Metternich, son homme d'État le plus important, avaient prévu cette évolution et réorganisé juridiquement les États divers et multiples de la couronne autrichienne, qui ne tenaient l'un à l'autre que par une tête commune et des liens dynastiques. Dès 1804,

l'empereur avait élevé les États habs-bourgeois au rang d'« empire d'Autriche », établissant sous ce titre, non pas une unité territoriale, mais une union dynastique.

Au lendemain de l'effondrement de l'Empire napoléonien, rois, ministres et généraux des États vainqueurs se réunirent à Vienne en 1814 au congrès de la paix, afin de rétablir l'ordre poli-tique européen. L'empereur François Iᵉʳ « d'Autriche » fut l'hôte de cette illustre assemblée. Il fit de Vienne le centre de l'Europe, un centre d'une extrême splendeur. On ne reconstruisit pas l'empire « romain », on le remplaça par une Confédération d'États germa-niques dont l'Autriche assurait la pré-sidence. Cette Autriche comprenait, outre les États de l'actuelle république, la Bohême, la Moravie et la Silésie, la Galicie, la Lodomérie et la Bucovine,

la Lombardie, Venise, Trieste, l'Istrie et la Dalmatie. Mais l'empereur était éga-lement souverain du royaume de Hongrie auquel appartenaient la Slovaquie, la Transylvanie, la Croatie et la Slovénie. Ces États « hongrois » ne faisaient pas partie de la Confédération germanique.

Les États européens formèrent une alliance ayant pour mission de préserver la nouvelle situation politique, les fron-tières et les régimes gouvernementaux. En politique intérieure, cela signifia une répression toujours plus forte de toute tentative de réforme, une censure de la presse et de la littérature, qui sus-citèrent un vaste sentiment de mécon-tentement, surtout après 1835.

En politique extérieure, l'Alliance en vint à une politique d'intervention diplomatique et militaire telle que la paix ne fut souvent maintenue ou

7 - Représentation de six personnages en habits de fête hongrois, cinq magnats et un hussard. Lithographie d'une fabrique de vêtements, vers 1890.

8 - **Le ministère
Thun-Hohenstein**, 1898,
avant la prestation de
serment. Au centre,
le comte **Franz A.
Thun-Hohenstein**,
ministre-président,
en uniforme de gala de
ministre (décret de 1889),
en conversation avec
le comte **Agenor
Golouchowsky**, ministre
des Affaires étrangères,
en grand uniforme de
conseiller privé ; puis le
comte **Zeno Welsersheim**,
ministre de la Défense, en
uniforme de gala de général.
À gauche de Golouchowsky,
le comte **Hugo Adensperg-
traun**, grand chambellan, en
petit uniforme de
l'administration aulique.
Dessin de Theo Zasche,
paru dans *Viribus unitis*, vers
1900.

rétablie que par la force. L'empereur François Iᵉʳ avait presque entièrement confié la politique extérieure de l'Autriche à son chancelier, le prince Metternich, malgré la désapprobation de ses frères, les archiducs Charles et Jean. La crise de la dynastie s'aggrava quand, à la mort de François Iᵉʳ en 1835, sa succession devint un problème. Le prince héritier Ferdinand père du futur François Joseph Iᵉʳ, était incapable de gouverner. L'un des frères du disparu ou son plus jeune fils, l'archiduc François-Charles, auraient pu lui succéder. Mais le parti ultra-conservateur, sous la direction de Metternich, imposa l'accession au

trône de Ferdinand et, après avoir créé une nouvelle institution : la Conférence de l'État, assuma de fait, le pouvoir suprême.

Les années suivantes furent celles du calme précédant la tempête de 1848. Suite à l'insurrection parisienne de février, une révolution bourgeoise renversa les gouvernements et bien souvent les monarques, dans toutes les capitales du continent européen. À Vienne, le bouleversement s'effectua en deux étapes. En mars 1848, Metternich fut renversé. En décembre, l'empereur Ferdinand Iᵉʳ abdiqua, désignant pour successeur son neveu François-Joseph, alors âgé de dix-huit ans. Un règne de

9 - L'impératrice Zita et le prince héritier Otto quittant la voiture impériale au château de Budapest, avant le sacre royal de 1916. Tableau de Gyula Eder, 1929 (cat. 96).

soixante-huit ans, avec les hauts et les bas de la vie politique et personnelle, attendait ce jeune et sympathique empereur, conscient de ses devoirs.

En dépit de débuts sanglants, de tentatives avortées pour reprendre les concessions accordées pendant cette période et établir un régime absolu, auxquels s'ajoutèrent les durs revers militaires face au Piémont-Sardaigne et contre la France en Italie (1859), contre la Prusse en Bohême (1866), l'empereur François-Joseph Ier réussit à stabiliser la structure de l'État. Sa personnalité vénérée du grand nombre et finalement légendaire fut le plus fort ciment de la monarchie. La grande armée fidèle à l'empereur et l'irréprochable administration de ses loyaux fonctionnaires furent les autres facteurs qui garantirent l'unité de l'empire. Mais le nationalisme, c'est-à-dire l'idéologie d'un État homogène du point de vue ethnique et linguistique, était la force destructive de l'époque. L'État multinational autrichien, ou comme il fut appelé à partir de 1867 l'« Autriche-Hongrie », échoua sur le problème des nationalités. Cependant, les forces nationalistes tchèques, polonaises, hongroises, allemandes et italiennes ne sont pas seules responsables de cet échec. Le sont aussi ses adversaires politiques d'Europe occidentale dont la campagne de propagande journalistique, menée des années

durant contre la monarchie austro-hongroise, finit par déclencher la Première Guerre mondiale.

Au XIXe siècle, la maison d'Autriche se ramifia en branches nombreuses. Après l'unité italienne sous un roi de la maison de Savoie en 1859, les anciens souverains habsbourgeois de Toscane et de Modène vécurent à Vienne avec leurs familles. La lignée masculine des Habsbourg-Toscane prit le second prénom de Salvator, tandis que celle des ducs de Modène se transforma en branche d'Autriche-Este. Par ailleurs, la descendance de l'archiduc Charles donna au pays plusieurs grands maîtres de l'ordre des chevaliers Teutoniques et les plus importants généraux de l'armée, dont l'archiduc Albrecht, vainqueur de Custozza en 1866 et l'archiduc Frédéric, feld-maréchal de la Première Guerre mondiale.

Cette lignée possédait la très précieuse et aujourd'hui si célèbre collection de dessins et gravures, l'*Albertina*, ainsi nommée d'après son fondateur (le duc Albert de Saxe-Teschen, un des beaux-fils de Marie-Thérèse). Il y eut également la descendance de deux autres frères de l'empereur François Ier, les archiducs Joseph et Rainer. La fonction de palatin de Hongrie – vice-empereur et vice-roi à Budapest – était une fonction héréditaire propre à la lignée de l'archiduc

Joseph. Toutes ces branches de la maison d'Autriche avaient leurs résidences à Vienne, Prague ou Budapest, leurs domaines et leurs châteaux en Bohême, Hongrie et Haute-Italie et de toute façon un palais à Vienne. Elles disposaient d'une cour autonome, de fonctionnaires chargés de l'administration de leurs possessions, à propriétés d'après le modèle de l'administration impériale. La cour des grandes familles aristocratiques – celles des princes Auersperg, Batthyany, Esterhazy, Fürstenberg, Kinsky, Liechtenstein, Lobkowicz, Lubomirski, Montenuovo, Odescalchi, Orsini-Rosenberg, Rohan, Schönborn, Schwarzenberg, Sulkovski, Thurn und Taxis et Windisch-Grätz et de nombreux comtes – était parfois plus grande et plus brillante.

En outre plusieurs maisons princières européennes entretenaient continuellement ou temporairement une cour à Vienne ou à Prague. La présence des Bourbon, des Chambord et des familles françaises qui avaient immigré en Autriche, des Bourbon-Parme, des Bragance, des maisons princières russes et polonaises et des souverains allemands, était particulièrement importante. Après la conquête du Hanovre par la Prusse en 1866, la maison royale chassée de chez elle vécut en Autriche, résidant à Vienne sous le nom de mai-

son des ducs de Cumberland. Il y avait donc à Vienne, non seulement la cour impériale, mais plusieurs cours de moindre importance dont les officiers et les fonctionnaires en élégants uniformes et les nombreux domestiques, cochers et chasseurs, laquais et portiers en livrées, paradaient dans les rues.

La vie sociale viennoise portait l'empreinte de cette haute aristocratie, qui se démarquait totalement de la basse noblesse et de la grande bourgeoisie. La Grande Autriche, l'Autriche protéiforme et son histoire englobant tous les États européens firent que cette aristocratie fut nombreuse et prit une importance internationale.

Paris et Londres qui, en tant que capitales d'empires coloniaux disséminés par le monde donnaient l'image d'un internationalisme tout différent, étaient des villes beaucoup plus grandes, trop grandes pour que l'on pût les embrasser d'un seul regard ; c'étaient avant tout des métropoles d'un pouvoir. Vienne, aux dimensions comparativement réduites, était en revanche le point de cristallisation de toutes les nations en Autriche, qui ne considéraient pas leur capitale comme le centre d'un pouvoir qui est à craindre, mais qui l'aimaient pour son éclat et son animation. Elles aimaient ses palais et ses théâtres, ses bals et ses concerts, peut-être ses

11 - L'empereur François-Joseph et l'impératrice Élisabeth à Bad Kissingen, 1898.

12 - Magnats, Budapest, 1898.

13 - Archiducs, généraux et
archiduchesses assistant à
une fête sur le mont Isel
près d'Innsbruck, 1905.

grandes écoles et ses musées, en tout cas ses plaisirs et sa gaieté. Elles aimaient l'empereur, elles étaient fières du style de vie qu'on menait à la cour, mélange de distinction et de sévérité militaire. Les Viennois eux-mêmes constituaient un public admiratif et reconnaissant, toujours au courant des relations familiales et autres de la maison impériale et de l'aristocratie.

À lui seul, le service dans l'armée permettait de vaincre les différences de classe. Bien qu'il existât des régiments nobles dont les postes d'officiers étaient exclusivement occupés par des aristocrates, la camaraderie à l'intérieur du régiment était généralement plus forte

que les préjugés sociaux. En conséquence, l'uniforme que l'empereur lui-même portait quotidiennement, était le vêtement de tous les jours et de toutes les occasions : en société, au théâtre, dans les bals, aux courses. Il permettait à un jeune sous-lieutenant d'accéder à toutes les demeures de villes de garnison. L'uniforme était le vêtement de noce, y compris des princes, et permettait à celui qui le portait d'avoir ses entrées chez l'empereur.

Tous les membres de la maison impériale, les archiducs et les archiduchesses, étaient soumis à l'étiquette. Ils devaient une obéissance absolue à l'empereur et respectaient un sévère

14 - Laquais personnel, dit «haiduck» du baron Franz von Gerliczy.

code d'honneur. Un manquement à ces prescriptions et à celles de l'Église pouvait provoquer l'exclusion de la maison et la perte du nom.

La fortune familiale des Habsbourg, dont seul l'empereur disposait, était très grande. Le bien le plus précieux en était sans aucun doute le trésor des Habsbourg (la salle du trésor séculier et régulier) ainsi que les collections d'art (le Kunsthistorisches Museum) et la bibliothèque de la cour. S'y ajoutaient de magnifiques châteaux et des maisons entourés de grands domaines.

Durant le règne de l'empereur François-Joseph, la vie à la cour était empreinte d'une sévère dignité, ni magnificence ni gaspillage. La Hofburg de Vienne, le château de Schönbrunn et la Königsburg de Budapest ne retrouvaient leur ancienne splendeur qu'à l'occasion de la visite d'hôtes royaux, de certaines fêtes religieuses ou d'importants événements familiaux. L'empereur, l'impératrice et le prince héritier se déplaçaient alors dans les carrosses d'époque baroque ou dans de modernes voitures de gala attelées des splendides chevaux blancs des haras de Kladrub en Bohême. Officiers supérieurs, conseillers privés et chambellans paraissaient alors en grands uniformes de gala, portant les collanes et la grand-croix des ordres. Les hommes de la

15 - L'empereur François-Joseph quitte la Hofburg, dans sa voiture de gala à huit chevaux. Tableau d'Alexander Pock, 1910.

haute société revêtaient d'élégants uniformes militaires ou civils ou le costume des chevaliers. La noblesse hongroise et croate portait les vêtements de magnats et les dames, la dispendieuse garde-robe de la belle époque. Les pages et la domesticité devaient se montrer en livrée de gala et les gardes en tenue de service. Les cérémonies annuelles de la Fête Dieu ont marqué avec persistance les contemporains. Ce jour-là, une procession à laquelle participait toute la cour, l'empereur en tête, défilait pendant des heures dans le centre de la ville.

Cette procession était particulièrement pittoresque car les membres des ordres séculiers de chevalerie y participaient, vêtus de leurs somptueux costumes. L'apparition des chevaliers de la Toison d'or dans leurs vêtements moyenâgeux exerçait un charme particulier, d'autant que ceux qui les portaient étaient de grands aristocrates qui, dans leur majorité, jouaient un rôle dans la vie publique. Ils étaient donc auréolés du prestige de l'inaccessible et de l'unique. À partir de 1853, on cessa d'utiliser les costumes des ordres au cours des fêtes, on se contenta de porter les collanes, les écharpes et les étoiles sur les uniformes de cour et d'officier. Par contre, les ordres religieux de chevalerie – chevaliers Teutoniques et ordre de Malte – continuèrent à porter leurs

costumes respectifs jusqu'à la procession de la Fête Dieu de 1914 et le dernier couronnement à Budapest en 1916.

Respectés pendant les fêtes, l'étiquette cérémonielle et l'ordre hiérarchique l'étaient également dans la vie quotidienne de la cour impériale et dans tous les événements et actes de la vie publique auxquels assistait le monarque. De même, la vie de la première société était soumise à un rythme annuel quasiment cérémoniel. Les familles dont le nom évoque la moitié de la carte de l'Europe, ces familles de tous les États de la couronne, de Flandre et d'Artois, de Bourgogne et de Savoie, du Portugal et d'Espagne, d'Irlande et de Hollande, des Pays Baltes, de Pologne et de Russie vivaient une partie de l'année dans leurs châteaux et, selon un ordre immuable, assistaient aux fêtes de famille et aux chasses qu'elles donnaient les unes chez les autres. Plusieurs fois par an, on se rendait pour un certain temps dans sa capitale, à Prague ou à Cracovie, à Budapest ou à Agram (Zagreb) et, de toute façon, on séjournait en saison dans la capitale impériale. On participait à la parade de printemps, au derby et au corso fleuri du Prater et bien entendu à la saison des bals, que l'on fût invité au bal de la cour ou simplement au bal à la cour. On habitait à l'hôtel Sacher, les dames se rencontraient à la

16 - Haute aristocratie
assistant à une
démonstration aérienne, à
Vienne 1909.

confiserie Demel, la confiserie de la cour royale et impériale, et les hommes au Jockey Club. La haute aristocratie se réunissait également lors des grandes courses hippiques, notamment au « grand » steeple-chase, la course d'obstacles la plus difficile d'Europe. Elle se rendait une fois par an aux bains de Karlsbad (Karlovy Vary) et d'Abbazzia et rencontrait la haute société à Nice et à Paris.

Quand l'empereur partait pour sa résidence d'été à Bad Ischl, il fallait y être. La petite ville du Salzkammergut devenait six semaines durant le cœur de l'Empire. Y résidaient également de célèbres compositeurs d'opérettes Franz Lehar, Oscar Strauss et Leo Fall, de grands acteurs comme Alexander Girardi, ou celle dont on cite souvent le nom, Katharina Schratt, qui, après avoir été la lectrice de l'impératrice devint la confidente de l'empereur.

L'empereur François-Joseph Iᵉʳ avait épousé Élisabeth, princesse de la maison des ducs de Bavière, qui comptait parmi les plus grandes beautés du siècle. C'était un être romanesque qui aimait la nature et les animaux, mais au caractère difficile et qui avait une préférence marquée pour les sports équestres. Toute l'année, elle était en voyage. Au sein de la monarchie, elle nourrissait une sympathie particulière pour la Hongrie et les Hongrois. Le fils unique du couple impérial, le prince héritier Rodolphe, avait un caractère aussi compliqué que sa mère. Ces deux personnalités sont restées jusqu'à ce jour l'objet de nouvelles biographies, de films et d'articles à sensation dans la presse boulevardière, traitement qui, à l'époque, n'a pas peu contribué au suicide du prince héritier et à l'assassinat de l'impératrice.

Dans les années 1860, Vienne était devenue une capitale. La construction de la Ringstrasse, d'autres grandes artères et de nouveaux quartiers avait déterminé le développement de la ville et répondu à l'énorme afflux humain venu de tous les pays de la couronne. Un mélange bigarré de populations remplissait la ville et l'animait d'une manière alors unique en Europe. Vienne devint également le centre spirituel et la cité légendaire dont rêvaient les Juifs, en particulier ceux de Galicie qui était aussi un royaume autrichien. Une nouvelle culture polyphonique et purement nationale naquit, qui repoussa la culture plus intime du Biedermeier. Le changement se manifesta aussi en musique. À Schubert et Lanner succédèrent Millöcker et Johann Strauss dont la musique, née à Vienne, conquit le monde.

Malgré de grandes tensions politiques, Vienne vécut un essor des sciences, des arts et de la musique comme jamais auparavant. De généreuses institutions, tout comme le statut libéral des universités et des grandes écoles, non seulement à Vienne mais dans les autres villes, permirent l'épanouissement de la recherche fondamentale et des connaissances dans tous les domaines des sciences, de la nature et de la médecine. De remarquables philosophes et psychologues de formation médicale, tel Sigmund Freud, enseignèrent à Vienne et à Prague.

Comme beaucoup d'autres sciences « modernes », l'histoire de l'art fut fondée à Vienne. D'importants mouvements sociaux et politiques y naquirent : le socialisme démocratique de Victor Adler, le sionisme de Theodor Herzl, le mouvement pacifiste de Bertha von Suttner. Conjuguant à une brillante vie d'opéras et de concerts, l'action de grands compositeurs tels Brahms, Strauss, Bruckner, Mahler et ceux la nouvelle école de Vienne, Schoenberg, Berg, Webern et Krenek, Vienne devint pour la seconde fois de son histoire, le centre du monde musical.

Dans les bâtiments d'une splendeur inégalée et pourtant élégants de la nouvelle Ringstrasse, l'Opéra de la cour, le théâtre de la Hofburg (Bungtheater) et le bâtiment de l'Union musicale (Musikverein) avec la « Salle dorée », on célébrait la musique ancienne tout

autant que la musique contemporaine et les arts du spectacle, de même que, dans le cadre monumental du Kunsthistorisches Museum, on présentait les collections d'art d'une richesse incomparable appartenant à la maison des Habsbourg. La construction de bâtiments administratifs, religieux et privés sur la Ringstrasse et les places adjacentes constitua une admirable performance technique, démontra la capacité d'organisation du pays et fut un encouragement au développement de l'architecture et des arts décoratifs. D'importants travaux furent confiés à des architectes, des peintres, des sculpteurs et des stucateurs venus de toute l'Europe : que l'on songe aux architectes Theophil Hansen, Eduard van der Nüll, August von Siccardsburg, Heinrich von Ferstel, Gottfried Semper, Carl von Hasenauer et Friedrich Schmidt ; aux peintres Moritz von Schwind, Hans Makart et Mihaly von Munkacsy ; ainsi qu'aux sculpteurs Victor Tilgner et Caspar von Zumbusch.

À peine la Ringstrasse fut-elle achevée, dans les années 1890, que de nouvelles tâches échurent aux architectes dans cette ville à la croissance rapide. Otto Wagner put réaliser de grands projets communaux ; son élève, Josef Hoffmann accéda à la

17 - La comtesse Zichy en grande toilette à l'occasion du couronnement de Charles Iᵉʳ roi de Hongrie, 1916.

reconnaissance internationale non seulement par la construction d'immeubles et de villas mais par la conception d'intérieurs, de mobilier et d'objets d'art. Réalisées par les ateliers viennois (Wiener Werkstätte), ses idées voyagèrent à travers le monde. Son génial adversaire fut Adolf Loos, l'un des pionniers de l'architecture moderne européenne.

Au tournant du siècle, la peinture viennoise atteignit, avec Kokoschka, Klimt et Schiele, le niveau européen. La littérature doit à Vienne et à Prague quelques-uns de ses maîtres : Hofmannstahl et Rilke, Schnitzler et Musil, Kafka et Brod, Werfel et Zweig. Les cercles politico-littéraires des cafés allaient un peu plus tard devenir légendaires.

La grande armée, qui soutint l'État, reflétait cet empire aux peuples multiples. La formule du serment que prêtaient les soldats était lue en neuf langues, et la bénédiction divine était donnée selon les rites de onze religions et confessions ! En outre, le corps des officiers étaient complétement international : tous les peuples d'Europe y étaient représentés par leur aristocratie. Tous – Français, Belges, Irlandais, Britanniques, Baltes, Russes, Grecs et Italiens – eurent à décider, lorsqu'éclata la Première Guerre mondiale, s'ils

18 - Le prince Alfred Montenuovo, premier intendant de la cour, en grand uniforme de l'administration aulique. Tableau de John Quincy Adams, 1917 (cat. 62).

retourneraient dans leur patrie d'origine ou la combattraient, au sein de
l'armée de l'empereur. Mais leur patrie
avait été en fait, cette vieille Europe
que, trompés sans le savoir et quel que
fût le camp pour lequel ils combatti-
rent, ils allaient détruire, pour en déplo-
rer la perte jusqu'à la fin de leurs jours.

19 - Le comte Julius von
Falkenhayn en uniforme de
gala de ministre royal et
impérial.
Tableau de Viktor Stauffer,
vers 1898 (cat. 31).

20 - L'empereur Charles Iᵉʳ
en uniforme de campagne.
Tableau de Wilhelm Viktor
Krausz, 1917 (cat. 95).

21 - **Couronnement
de François-Joseph Iᵉʳ
et d'Élisabeth à Budapest,
1867 - Cérémonie sous le
baldaquin de l'église Pfarr
von Ofen.
Reproduction
photographique d'une
peinture d'Eduard von
Engerdh.**

**22 - Photographie officielle
de la famille impériale
et royale après le
couronnement de Budapest,
1916 (cat. 97).**

23 - Le baron Georg Sztojanovits en costume de magnat transylvain, lors de la fête du Millénaire, Budapest, 1896.
Détail d'une photo de famille (cf. costume : cat. 43, ill. 66, livrée de la maison Sztojanovits, cat. 87, ill. 91).

24 - Capitaine et trompette de la garde noble lombardo-vénitienne, 1838.
Lithographie en couleur.

Georg J. Kugler

L'évolution du costume à la cour de Vienne du XVIIIe au XIXe siècles

Cette étude sur les vêtements, les uniformes et les livrées portés à la cour impériale autrichienne est une contribution à l'histoire culturelle de l'Autriche, et plus particulièrement à celle de Vienne. Elle traite également de la mode masculine en vigueur au XIXe siècle et, aujourd'hui, pratiquement oubliée. Ces remarques concernent les vêtements conservés au Monturdepot de la Hofburg de Vienne, qui ne représentent qu'une partie des habits de cour.

Les costumes des ordres, les uniformes et les livrées se différencient essentiellement des autres vêtements par le fait que la mode n'a d'influence sur eux que par à-coups et, en conséquence, ils se modifient si d'autres raisons que la mode exigent de modifier les règlements. L'uniforme correspond à un certain moment des textes qui sanctionnent ainsi tel aspect de la mode qui s'y était antérieurement infiltré. Mais dès lors, l'uniforme ne participe plus à l'évolution de la mode jusqu'à ce que de nouveaux règlements viennent le modifier. Il n'est pas rare que des décrets et des ordonnances interdisent des modifications introduites par la mode comme des déviations du règlement, les motifs politiques pouvant être, dans ce domaine, déterminants. L'exemple le plus connu est celui du maintien de la culotte et le rejet du pantalon pour les vêtements de cour des États allemands dans les années Biedermeier. Que, malgré cela, les uniformes conservent leur élégance et ne se démodent pas, bien qu'ils soient portés pendant de longues périodes, ils le doivent aux couleurs des tissus, aux broderies et aux passements d'or et d'argent, somme toute aux matériaux de première qualité utilisés par les tailleurs. Jamais le porteur du costume ne décide de la coupe, du matériau, de la couleur et des ornements de ses vêtements. C'est le supérieur, le souverain, qui en décide ; ici, l'empereur et le grand intendant de la cour. Sans oublier que seuls les costumes des ordres et les grands uniformes de gala des dignitaires sont des habits de cérémonie. Les uniformes des militaires et des fonctionnaires et les livrées sont des vêtements à usage quotidien.

L'uniforme et la livrée modifient non seulement l'apparence d'un individu, mais encore en déterminent l'attitude. Un homme de haut rang, répond aussi, avec son uniforme, à une contrainte qui commence avec les règlements sur le port de

l'uniforme et s'achève avec les obligations de sa caste. L'uniforme est essentiellement un vêtement masculin. Même aujourd'hui, en ces temps d'hostilité à l'uniforme, l'homme revêt l'uniforme ou des parties d'uniforme dès qu'il recouvre la liberté : sur les stades, dans les associations, les fanfares ou les corps de sapeurs-pompiers. L'uniforme disparaissant, l'insigne aujourd'hui le remplace de plus en plus, forme moyenâgeuse originelle de la livrée qui, en tant que signe de reconnaissance ou en tant que devise, affichait l'appartenance à un « maître » (l'épinglette aujourd'hui largement répandue).

Les uniformes et les livrées expriment un accord avec quelque chose de supérieur, avec une totalité d'une certaine importance. On porte les « habits de l'empereur ». À l'époque de l'absolutisme, les obligations qui en découlaient, étaient particulièrement valorisées. La noblesse de cour rassemblée autour du souverain occupait les ordres et positions supérieurs de l'armée et de l'État et ne pouvait fréquenter l'autorité suprême et les autres membres de la cour, traiter, parler ou se quereller, vivre ou mourir avec eux, qu'à la condition de respecter une rigoureuse étiquette. Il était ici naturellement impossible que l'on se passât des plus sévères règlements de l'habillement admis à la cour.

25 - Réglementation du port de l'uniforme des fonctionnaires civils, 1814. Page de titre (cat. 7).

26 - Normes du port de l'uniforme de l'administration aulique, 1814. Première page.

Évolution de l'habit de cour au XVIIIe siècle

L'uniforme militaire en tant qu'habit de cour

Au XVIIe siècle, se distinguant du costume civil, la tenue militaire était devenue la seule caractéristique de certains régiments et, par conséquent, dépendait de la fortune, des nécessités de représentation et du goût pour la mode ou la tradition du chef du régiment. À ce stade de son développement, il est encore fortement apparenté à l'habit du domestique seigneurial : la livrée. Il est confectionné selon les ordres du seigneur et délivré à l'usage du domestique, d'où son nom de *liberata*, l'objet livré. L'uniforme d'un régiment et la livrée sont – mis à part les distinctions – comparables dans la mesure où, grâce à la couleur des tissus, à une broderie des passements ou des boutons déterminés, ils expriment l'appartenance à un seigneur ou à une famille – le rapport à tel ou tel costume national étant cependant dans certains cas évident. Par ailleurs, les régiments des villes impériales s'habillent aux couleurs de la ville.

En ce qui concerne les grandes maisons de l'aristocratie, la couleur de la compagnie et la couleur de la livrée sont la plupart du temps les mêmes, tout en étant rarement identiques aux couleurs héraldiques, car celles-ci sont communes à un grand nombre de familles. C'est pourquoi il arrive souvent que les combinaisons des couleurs secondaires d'une maison permettent à tout un chacun de reconnaître d'emblée une compagnie, une domesticité et un équipage.

Ainsi, en 1814 au Congrès de Vienne, les funérailles du prince Charles de Ligne, cavalier accompli, furent-elles l'occasion d'un spectacle grandiose. Sa vie durant, on l'avait appelé le « Prince rose », en souvenir de la couleur du régiment où il avait débuté sa carrière, et qu'il avait conservée pour ses livrées, son équipage et sa maison.

Les gardes du corps fournissent un exemple instructif quant au rapport entre l'uniforme et la livrée.

Depuis le XVIe siècle, il y avait à la cour de Vienne des gardes du corps (archers et lansquenets), non seulement au service de l'empereur mais aussi au service de l'impératrice, à celui du successeur majeur au trône et, le cas échéant, au service de la veuve du souverain. La plupart du temps, ces gardes du palais étaient composées d'officiers et de sous-officiers émérites. Malgré leurs caractéristiques militaires, leurs

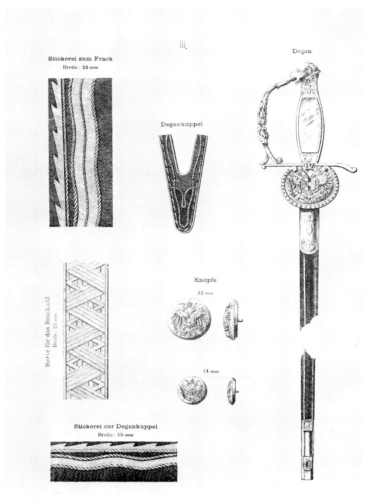

uniformes étaient cependant appelés livrées, car en dernière instance, les gardes ne faisaient pas partie de l'armée mais de la cour et dépendaient du grand intendant, au même titre que les domestiques.

Plus l'État et le commandement suprême de l'armée, vers la fin du XVIIᵉ siècle, renforcent leur influence sur l'uniformisation des troupes, plus la séparation de l'uniforme militaire et de la livrée des nobles s'accélère. En revanche, ils restent l'un et l'autre soumis à une transformation historique qui ne doit rien à la mode mais qui est marquée dans le domaine militaire par le passage d'un règlement à un autre et, en ce qui concerne la domesticité, par de grands événements à caractère cérémonieux, à la dignité et à la somptuosité desquels contribuent des livrées et équipages nouveaux.

Au début du XVIIIᵉ siècle, le costume du soldat s'était peu à peu transformé en Autriche en uniforme militaire dont les représentants des fonctions suprêmes étaient admis à la cour. Cependant, les officiers n'y occupaient aucun rang, si bien que les uniformes n'y étaient pas autorisés. Le seul habit de cour traditionnel était le manteau « espagnol ».

Mais une transformation radicale s'opéra en quelques brèves décennies. En dehors des portraits officiels en costume de l'ordre de la Toison d'or (*cat 1, ill. 52*) ou en armure, l'empereur Charles VI, roi d'Espagne de 1703 à 1711 et empereur romain germanique de

27 - Études pour des modèles de broderie, galons, garde de dague, dague, et boutons.

28 - Dessin de l'uniforme de chevalier de l'Ordre, dit également « uniforme de l'Ordre », introduit en 1894.
Publié dans la réglementation de 1894.

1711 à 1740, apparaît vêtu de son manteau en brocard d'or ou du costume noir espagnol, à la seule exception d'un tableau où il est représenté en costume de chasse.

Son gendre, par contre, le duc François-Étienne de Lorraine, époux de Marie-
Thérèse, qui devint en 1737 grand-duc de Toscane et en 1745 empereur romain
germanique sous le nom de François Ier, s'il a été portraituré jusque dans les années
1740, en manteau (cat. 2) ou dans l'habit de cour alors à la mode : tunique rouge et
culotte, avec broderies d'or, apparaît sur les portraits plus tardifs, dans l'uniforme
blanc à rabats et revers rouges de son régiment d'infanterie.

En 1751, seuls, les officiers impériaux, furent autorisés à venir à la cour en uniforme.
Le pas fut franchi ultérieurement avec la fondation d'un ordre professionnel.

Le fait que le fils aîné de l'empereur, l'héritier du trône Joseph, né en 1741, ait revêtu
beaucoup plus tard que ses frères l'uniforme régulier, est caractéristique des résistances que les champions du cérémonial de cour hispano-bourguignon opposèrent
à l'uniforme, et qui s'explique par un comportement authentiquement autrichien.
Le successeur au trône porte bien l'uniforme du régiment de dragons qu'il a intégré
dès l'âge de huit ans, mais son uniforme d'officier est en quelque sorte « désamorcé » :
il n'a pas de revers et ressemble fort à un habit de cour. Un tableau peint vers 1751-

**29 - Pages à cheval dans la
cour intérieure des écuries
de la cour, avant la
procession de la Fête-Dieu,
vers 1910.**

**30 - Page en uniforme
de gala.
Photographie de C.
Pietzner, photographe
de la cour, 1894.**

1752 le montre à Schönbrunn (*ill. 37*), Joseph porte cet habit rouge brodé d'or mais avec une écharpe de campagne et une épée alors que ses deux frères, Charles-Joseph, né en 1745, et Pierre-Léopold, né en 1747, portent tous deux un uniforme. L'archiduc Charles-Joseph, en tant que second fils du couple des souverains était, pour des raisons politiques (la déférence envers les autres pays de la couronne de Saint-Étienne), le chef suprême d'un régiment d'infanterie hongrois, alors que les autres jeunes archiducs étaient dans les cuirassiers, arme, par tradition, la plus noble. L'uniforme de l'archiduc Charles-Joseph présente toutes les caractéristiques du costume national hongrois ; le petit Pierre-Léopold porte, lui, la cuirasse (le plastron). Il faudra attendre que, prenant exemple sur le roi Frédéric II (1740-1746), l'archiduc Joseph, au moment de son accession au trône d'empereur romain germanique (1765-1790), se montre en uniforme blanc régulier de son régiment d'infanterie ou en uniforme vert de son régiment de chevaux-légers, pour qu'il nous soit dès lors tout à fait familier (*cat. 3*).

Non seulement il rejeta pour lui-même le manteau, mais se fixa pour objectif de supprimer également le manteau des fonctions officielles, par exemple lors des réceptions d'ambassadeurs, des investitures de fiefs impériaux et des cérémonies avec cortèges. Il s'agissait ainsi, non pas de toucher à un vêtement passé de mode mais à un symbole cérémoniel du souverain absolu qui représentait encore l'État dans sa totalité. Joseph voulait être à la tête d'une pyramide composée de serviteurs de l'État. Aussi cessa-t-il de distribuer de simples titres honorifiques tel que celui de chambellan, et il aurait volontiers supprimé la noblesse de cour. Après avoir vaincu de violentes résistances de la part des milieux traditionalistes de la cour dont le porte-parole était le grand intendant de l'impératrice, le comte Uhlfeld, il imposa sa volonté en 1766. Sa mère lui donna carte blanche, à la réserve néanmoins de ne pas promulguer immédiatement la suppression du manteau d'ordre. Le décret de cour correspondant ne fut signé que le 11 septembre 1770. Le plus ancien costume de cour fut ainsi complètement supplanté, non par un vêtement à la mode, mais par l'uniforme militaire. Le souverain porte l'uniforme parce qu'il est un serviteur de l'État ; il en est même le « premier » et porte en conséquence les plus hautes décorations des ordres du mérite.

Les ordres

Les tenants des charges supérieures et les dignitaires de la cour, qui appartenaient tous sans exception à la haute aristocratie, portèrent désormais l'habit civil, brodé de style rococo ou, en cas de dignité militaire, l'uniforme et, lors d'occasions exceptionnelles,

les habits de l'ordre de la Toison d'or ou ceux des ordres séculiers, fondés pour récompenser ostensiblement les services civils rendus à l'État.

À côté des ordres réguliers, il existait depuis le bas Moyen Âge des ordres séculiers, communautés d'hommes engagés et unis dans la réalisation d'objectifs religieux particuliers et dans l'idéal de la chevalerie. Leurs membres vivaient selon des statuts contraignants et acceptés sous serment, et ils devaient obéir aux supérieurs de l'ordre. Le symbole de l'ordre, parfois choisi selon les humeurs du fondateur et qui n'a en soi aucun sens, n'était en fait qu'un signe extérieur d'appartenance au groupe. Grâce à la considération, l'influence et la richesse de leurs membres, les ordres de cour se transformèrent en organisations puissantes. Y être admis était considéré comme une distinction. L'évolution mena à la fondation au XVIIIᵉ siècle, d'ordres du mérite militaires et civils. L'un des ordres séculiers européens les plus anciens est l'ordre de la Toison d'or (dit ordre de la Toison, expression d'abord française), fondé en 1429 par le duc de Bourgogne, Philippe le Bon (*cat. 21, ill. 48, 49*). Les Habsbourg en héritèrent et, après l'extinction de la branche principale espagnole, il devint un ordre austro-bourguignon. Les Bourbon de la branche espagnole le conservèrent en tant qu'ordre espagnol, sans en posséder ni les archives, ni le trésor, ni la garde-robe. Alors que l'ordre autrichien conservera pour conditions d'admission la foi catholique et l'appartenance à la grande noblesse, l'ordre espagnol devint un pur ordre de mérite et fut donc conféré aussi bien à des protestants qu'à des roturiers, mais sa remise à des Autrichiens était interdite.

Après avoir prêté le serment de chef et souverain de l'ordre en 1712, l'empereur Charles VI, nomma vingt-et-un chevaliers, essentiellement des membres de la haute noblesse d'Autriche, de Bohême et de Hongrie, hormis quelques Italiens et Espagnols. L'élément autrichien se renforça dans les décennies suivantes, mais l'ordre conserva toujours son caractère international, comme l'était naturellement la noblesse. Vers 1880, le nombre des chevaliers de l'ordre s'élevait à environ soixante-quinze, constitué par moitié d'étrangers.

L'arrivée des chevaliers de la Toison vêtus de leurs somptueuses tenues, les jours de grandes fêtes religieuses, faisait partie des grands événements de la cour de Vienne et illustre ce mélange caractéristique de tradition et de mode, de style et d'élégance.

Bien avant la création d'ordres civils, la reine impératrice avait fondé en 1757, l'ordre militaire de Marie-Thérèse, le premier ordre du mérite autrichien qui n'obligeait pas ses membres à mettre leurs actions futures en accord avec des règles — comme les communautés d'ordre —, mais récompensait des actes accomplis (*Ill. 5*). Limité aux officiers, il fut le premier ordre professionnel autrichien. La division stricte des grades militaires entraîna le partage en deux puis trois classes correspondant aux généraux, officiers supérieurs et officiers : grand-croix, commandeur et petite croix.

Ces classes furent adoptées pour les ordres civils fondés par la suite, et réparties selon les grades des fonctionnaires ou le rang nobiliaire. Les ordres civils du mérite étaient, sur le modèle des ordres de cour, des communautés de chevaliers. Pour chacun d'entre eux, on édicta des statuts comportant un règlement précis de l'habit officiel, on décida des fêtes spécifiques et on définit les grades. La perpétuation des cérémonies exigea que l'ordre eût ses propres fonctionnaires.

Marie-Thérèse fonda d'abord, en 1764, l'ordre de Saint-Étienne à l'occasion du couronnement de son fils Joseph, roi romain (*ill. 50, 51, cat. 22*). Son petit-fils, l'empereur François Iᵉʳ d'Autriche fonda en 1808 l'ordre de Léopold en souvenir de son père, l'empereur Léopold II (*ill.54, cat. 23*). Il reprit aussi, en 1816, l'ordre de la Couronne de fer du royaume d'Italie, fondé par Napoléon en 1805 et l'appliqua à l'empire d'Autriche (*ill.56, 57, cat. 25*). On perpétua donc ici, pour des raisons politiques, un ordre napoléonien tout en le transformant. Quant à l'ordre de Léopold, il avait un parrain, l'ordre français de la Légion d'honneur, créé en 1802. Ces ordres récompensaient pour la première fois les « vertus bourgeoises ». L'Autriche ne fut pas la seule à suivre cet exemple, presque tous les États allemands, du duché de Bade à la Prusse, en firent autant.

L'ordre de la Toison d'or, l'ordre de Saint-Étienne, l'ordre de Léopold et l'ordre de la Couronne de fer furent désormais considérés comme des ordres de la maison d'Autriche. Leurs membres apparurent aux fêtes de la cour comme aux fêtes des ordres en habit de cérémonie.

Dans le premier tiers du XIXᵉ siècle, le nombre de chevaliers de ces différents ordres n'était pas encore important. Les membres de l'ordre de Saint-Étienne et de l'ordre de la Couronne de fer étaient limités à cent et l'ordre de Saint-Étienne conservait son caractère de groupement aristocratique. Dans ces conditions, obligation fut faite à une grande partie du personnel aulique : fonctionnaires de l'État et bourgeois jouant un rôle politique et social de plus en plus important, qui rejetait, parce que démodé, l'habit de style rococo de l'époque, d'avoir un costume de cour pour pouvoir, en tout état de cause, assister aux fêtes officielles.

Les fonctionnaires

Au XVIIIᵉ siècle, en Autriche comme dans beaucoup d'autres États, conséquence de la constitution d'une administration moderne, apparaît une classe de fonctionnaires, payée par l'État ou par la cour. Il y avait bien eu auparavant, mais en quantité nettement moindre, des autorités et des fonctionnaires, il existait des institutions plus que centenaires, comme le Conseil impérial de la cour, mais la plupart des administrations centrales, telles les charges supérieures à la cour, étaient dirigées de façon toute personnelle et très seigneuriale par les fonctionnaires supérieurs respectifs. Il était d'usage que le responsable d'une charge emportât avec lui ses dossiers quand il quittait le service pour les déposer dans ses propres archives. Les réformes administratives opérées par Marie-Thérèse étaient devenues nécessaires. L'État commençait à intervenir dans de nombreux domaines de la vie publique et privée. Il y eut à l'époque de Marie-Thérèse et de Joseph II un étroit rapport entre le développement industriel et les réformes politiques. L'État construisit ou améliora universités et écoles, casernes, hôpitaux, églises, routes et canaux. Il en contrôla la direction et la gestion, orienta et favorisa l'industrie et le commerce. Pour ce faire, on créa sans cesse de nouveaux emplois administratifs qu'occupaient de nouveaux fonctionnaires. Le centralisme se renforçant, les compétences provinciales et religieuses perdirent une grande part de leur pouvoir, si bien que l'État des fonctionnaires trouva ses adversaires les plus critiques parmi les fonctionnaires eux-mêmes.

Vers la fin du siècle, de nombreux États européens introduisirent des uniformes de service pour les nouvelles catégories de fonctionnaires d'État et de cour. Parallèlement, on commença à se plaindre de leur trop grand nombre — et pas seulement en Autriche — bien qu'on y reconnût qu'ils étaient l'héritage du joséphisme auquel on devait l'État moderne. Josephistes, ils l'étaient tous à bien des égards, l'empereur, ses frères et les bureaucrates. En revanche, des hommes, comme les archiducs Charles et Jean et nombre de grands aristocrates, pouvaient penser que leur classe et même la dynastie étaient inutiles, dès l'instant qu'une bureaucratie largement ramifiée et fonctionnant bien se faisait le garant de l'État. L'empereur François Iᵉʳ *(cat. 2)*, de même que l'empereur François-Joseph *(ill. 1, cat. 9)* un peu plus tard, s'appuya sur ce corps de fonctionnaires et sur les militaires, tout en conservant à la haute aristocratie un certain champ d'action dans le domaine militaire. Mais celle-ci perdait son influence sur les destinées de l'État, d'où ses critiques à l'égard des fonctionnaires. On craignait un despotisme ministériel. Dans le même temps, apparurent d'extraordinaires difficultés politiques et économiques, qui allaient marquer l'État pour des décennies et l'obliger, pour la première fois, à faire des économies systématiques. Cette situation historique a favorisé le port de l'uniforme au niveau de l'État et à la cour d'une manière extraordinaire.

L'introduction des uniformes des fonctionnaires et de la cour sous l'empereur François Ier

Le poids des guerres de coalition contre la France révolutionnaire reposait, depuis le printemps 1792, essentiellement sur l'Autriche. Vienne, en tant que capitale et ville de résidence du Saint Empire romain germanique, portait la responsabilité de la lutte pour son existence. Le combat fut perdu, l'Empire vaincu par Napoléon et complètement réorganisé ; des parties de l'Empire furent annexées par la France ou placées sous le protectorat du Corse. Sous l'effet de cette évolution, l'empereur François II, qui régnait depuis 1792, dissolut l'empire en 1806. Après la chute de Napoléon, les principautés allemandes qui s'étaient mises sous sa protection devinrent des États indépendants, de même que les autres pays allemands. L'Autriche fut alors le plus grand État successeur du Saint Empire romain germanique ; en fait, si l'on excepte la Russie, le plus grand État d'Europe.

Des souverains et hommes d'État de quelque deux cents États et souverainetés se réunirent au Congrès de Vienne à la fin de l'automne 1814 pour réorganiser l'Europe après la catastrophe napoléonienne. Vienne devint le centre à la fois de la société et de la mode et demeura la plaque tournante d'une politique conservatrice et de restauration qui, sous la direction de Metternich, entreprit de combattre l'« esprit du temps ». Vienne et sa cour apparurent aux yeux des uns comme le refuge de la tradition et aux yeux des autres comme le bastion de la réaction.

Tandis qu'après 1815, Paris entretenait un rapport ambigu avec la Révolution et le premier Empire, balançant entre l'admiration et le rejet, Vienne craignait et haïssait les conséquences de l'évolution politique de la France d'après 1789 et les aurait volontiers effacées. On comprend mieux cette attitude si l'on pense à la misère qui s'était abattue sur l'Autriche à la suite des guerres déclenchées par la France. Après la troisième guerre de coalition (1805), les défaites continues, plusieurs augmentations des impôts et des droits de douane, l'inflation et la pénurie avaient éveillé une profonde méfiance à l'égard du gouvernement et de l'État. Le pessimisme s'empara des dirigeants, et même des frères de l'empereur. Dès 1802, les archiducs Charles et Jean prédisaient le renversement, la banqueroute et l'effondrement de l'État. Les fonctionnaires de la cour et de l'État souffrirent

31 - Le baron Joseph von Prochäzke (1770-1844), conseiller privé impérial et vice-président du conseil de Prague, gardien de la couronne et secrétaire de la chancellerie du royaume de Bohême. Représenté en uniforme de la diète de Bohême. Cet uniforme, qui ne figure pas dans l'exposition, est identique, pour la coupe et la couleur rouge à l'uniforme de Basse-Autriche (ill. 29 et 33 cat. 42) auquel sont ajoutées des épaulettes. Peinture appartenant au Dr baron Roman von Prochäzka.

particulièrement de cette situation. Bientôt leurs traitements ne suffirent plus pour satisfaire au nécessaire ; en outre, la lutte de l'État pour son existence les exposait aux attaques. La population déchargeait son amertume et sa rancune sur eux et, face à tout projet de réforme – celui de l'archiduc Charles par exemple en 1802 – furent critiqués même par les plus hauts fonctionnaires. La diminution de leur nombre parut être le mot d'ordre du moment et fut effectivement appliquée de 1809 à 1815, mais sans que les conditions de vie en fussent améliorées pour autant. Dans *Der Arme Spielmann* [Le Pauvre Ménétrier, nouvelle de 1847 (N.D.T.)], Grillparzer a décrit de façon oppressante la situation des administrations et le climat d'indignité qui y régnait. Durant les années de guerre, on ne put et ne voulut répondre au mécontentement politique de la population par des réformes, et on ne le fit qu'en rejetant toutes les idées révolutionnaires. À cela s'ajoutait le souvenir romantique largement répandu des valeurs patriotiques et nationales. L'empire d'Autriche était en harmonie avec les sommités du romantisme allemand quand il conservait les traditions de l'ancien Empire, et quand l'empereur, après 1806, prit aussi pour drapeau l'aigle noir impérial sur fond d'or et conserva les offices impériaux, quand l'État, l'armée et la cour gardèrent leur ancienne forme.

32 - Uniforme de gala d'un membre de la haute noblesse à la diète de Basse-Autriche. Aquarelle 1811 (cat. 42).

33 - Uniforme de gala de noble et membre de la diète de la province du Tyrol. Première moitié du XIXe siècle (cat. 41).

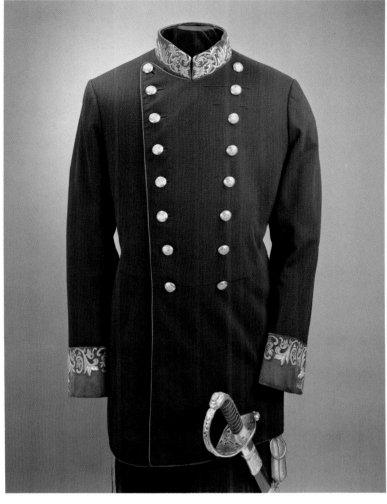

Après des années de guerre, l'empreinte de l'armée était profonde. Tous ceux qui avaient une position sociale et un nom portaient l'uniforme. Dans le *Journal des Luxus und der Moden* [Journal du luxe et des modes], mensuel qui parut à Weimar de 1786 à 1827, nous lisons dans un article de 1809 : « *Pour les hommes, plus aucune mode ne s'établit solidement vu que l'on porte dans toutes les administrations des uniformes de bon goût et d'une grande richesse.* » Cette affirmation s'applique complètement à la cour impériale. En outre, on refusait tout vêtement à la mode et tout ce qui aurait pu rappeler la Révolution, bien que les revues de mode, *Die Wiener Modezeitung* [Le Journal viennois de la mode] 1816-1848, prissent soin de répandre la mode de la Révolution. Une tête sans perruque et le chapeau de feutre étaient considérés comme l'expression d'idées jacobines. On lit dans un article paru à Vienne en 1799 qu'«*une tête hirsute et une barbe équivalent à la cocarde tricolore* ». Mais dans le même temps, les tendances opposées visant à créer un « costume national allemand » qui, depuis 1810 environ, s'étaient exprimées à travers toute l'Allemagne avec une éloquence toute patriotique – y compris grâce à la célèbre viennoise Karoline Pichler en 1815 –, ne jouirent pas à la cour impériale d'une grande popularité. Le seul habit civil qui pût recevoir ici un accueil

34 - Ministre et fonctionnaire de deuxième catégorie. Illustration de la réglementation du port de l'uniforme des fonctionnaires civils, 1849.

35 - Illustration de la réglementation du port de l'uniforme des fonctionnaires civils du royaume de Croatie et de Slavonie, 1852 (ill. 24).

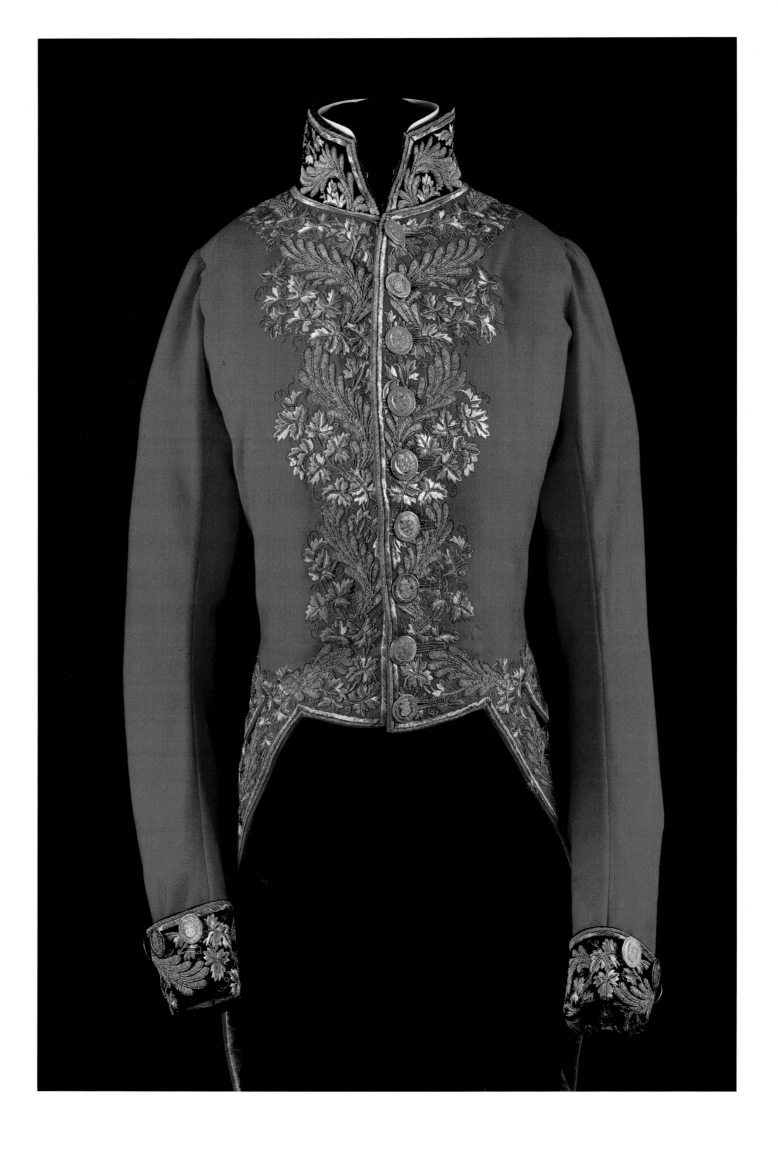

36 - Uniforme d'un membre
de la diète de
Basse-Autriche (cat. 42)

37 - Les archiducs Joseph,
Charles-Joseph et
Pierre-Léopold en uniforme,
vers 1751-1752.
Tableau de
Martin van Meytens.

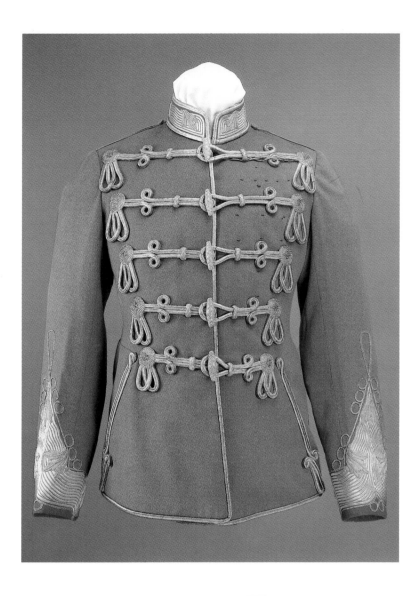

38 - Uniforme de campagne
de feld-maréchal autrichien,
tenue hongroise, porté
par l'empereur
François-Joseph Ier
(cat. 11).

favorable, fut l'habit de gala et l'habit civil d'Ancien Régime, «l'habit à la française» *(cat. 4 à 6, ill. 40)*.

Du reste, ce vêtement fut également prescrit à la cour de Saint-James pour les cérémonies, et la France le reprit très vite. Comme « parvenu » Napoléon craignait la haute société nobiliaire et, pour cette raison, capitula devant l'étiquette. Son mariage avec l'archiduchesse Marie-Louise en 1810 se déroula avec le même cérémonial que celui qui avait présidé au mariage de Marie-Antoinette avec Louis XVI en 1770. Napoléon ne fut donc pas un novateur en matière de mode, mais l'éclat théâtral de son empire et le magnifique habit de cour dont il créa la mode, ne resta pas sans effets sur la cour de Vienne, comme le montrent le costume de la Couronne de fer en 1816 et le manteau du couronnement de l'empire d'Autriche de 1830. En ce qui concerne le costume porté par les tenants des charges supérieures et les dignitaires de la cour, on adopta également, pour modèle, la mode influencée par la cour de France du dernier tiers du XVIIIe siècle qui, à Vienne, se figea dans l'habit de cour.

**39 - Entrée de la première
garde des Arciers dans la
cour de la garde du
Bas-Belvédère.
Tableau de Franz Zeller
von Zellenberg, 1868
(cat. 12).**

Les uniformes des fonctionnaires de l'État

Lorsqu'il fallut créer l'uniforme de la cour et celui des fonctionnaires, on s'inspira des uniformes en vigueur en Autriche et dans toute l'Allemagne, instaurés partiellement dans les postes et les mines, et largement dans les services extérieurs. Les résistances à l'idée qu'à la poste les « gratte-papier » dussent revêtir un uniforme, furent bientôt vaincues. En 1793, les employés de la comptabilité postale de la cour furent traités comme le personnel de la poste et durent revêtir l'uniforme. Bientôt suivirent des propositions pour doter d'uniformes les fonctionnaires civils qui travaillaient au service de l'armée, d'autant qu'il y avait des précédents dans la plupart des armées des princes allemands et en France.

En mars 1802, on présenta à l'archiduc Charles qui assumait la charge de ministre d'État, de la Guerre et des Conférences, les projets qui furent acceptés et publiés la même année sous le titre : « *Description de la manière dont le port de l'uniforme ordonné par Sa Majesté doit avoir lieu, concernant le personnel civil du département de la Guerre.* » Des dispositions correspondantes furent publiées en 1807, destinées aux fonctionnaires de la haute direction de la police.

L'empereur et ses conseillers ne cessèrent de faire valoir que le port de l'uniforme

40 - Habit de cour du lieutenant-colonel Jean-Baptiste Brequin de Demange (1708-1785), précepteur en mathématiques du futur empereur Joseph II, vers 1780 (cat. 4).

par tous les autres fonctionnaires de l'État et de la cour produirait une mauvaise impression sur la population, dès l'instant que l'on reconnaîtrait partout ces fonctionnaires si nombreux, en particulier à Vienne. On se dit également qu'il ne fallait pas donner aux officiers *«des motifs de jalousie et de querelles»*.

On s'étonne de voir que les tenants de l'uniforme des fonctionnaires se soient appuyés sur des arguments économiques. C'est ainsi que Metternich écrit : *«On croit pouvoir affirmer que le port de l'uniforme est assurément une économie pour les fonctionnaires. On a toujours besoin d'un costume conforme à son rang dans des manifestations souvent inévitables ; la différence disparaît dans le luxe, l'uniforme vêt les fonctionnaires de l'État, les fortunés comme les moins fortunés...»* L'archiduc Charles, en tant que ministre de la Guerre, présenta des arguments décisifs à l'empereur : *«La cherté actuelle et générale des prix... qui touche particulièrement le fonctionnaire rend nécessaire d'alléger sa situation par une simplification possible de ses besoins, l'état des finances ne permettant pas que l'on augmente ses gages. On sait généralement que le port de l'uniforme est beaucoup plus économique que le vêtement civil ; il n'est soumis ni au luxe envahissant, ni à la mode régnante si dispendieuse ; il est le même en été et en hiver, tout en étant fort correct...»*

41 - Livrée de gala de cocher et laquais de la maison impériale, vers 1900 (cat. 75).

42 - Livrée de campagne de cocher et de laquais de la maison impériale, après 1900 (cat. 76).

On comprend aisément que l'opinion adverse trouvât ses défenseurs, à savoir que l'uniforme de service serait une charge financière pour les fonctionnaires. En 1812, lors d'une réunion du conseil de la Couronne, le président de la Chambre de la cour, le comte Wallis, s'exprima avec une extrême énergie : «*Mais si l'on entre dans le détail de l'économie domestique des fonctionnaires les plus pauvres, on trouve que le fonctionnaire ne peut voir une économie dans l'acquisition de l'uniforme, mais uniquement de nouvelles dépenses [...] il n'avait nullement besoin d'une épée, non plus que de l'habituel chapeau ; son habit valait encore pour ses enfants. L'uniforme est une acquisition onéreuse [...] la moindre broderie empêche la transformation de l'habit [...]* L'empereur François semble ne pas avoir eu d'opinion tranchée et hésita long-temps. Il entendait voir dans l'uniforme un costume de service et de cérémonie et faire que la classe des fonctionnaires soit mieux considérée. Ne sachant pas si cet instrument améliorerait leurs conditions de vie, il ne voulait pas en prescrire l'obligation. Une résolution écrite de sa propre main dans le rapport d'une conférence de 1812, montre qu'il était conscient du fait que l'introduction de l'uniforme pût être cause de problèmes pour les fonctionnaires. Ses paroles le confirment : s'il

43 - Costume de chasse (Ausserfragant-Tyrol) de l'empereur François-Joseph, vers 1880-1890 (cat 49).

44 - Tunique de tenue de capitaine de la première garde des Arciers, 1917. Portée par le général de corps d'armée, le baron Viktor von Dankl, dernier capitaine de la garde nommé en 1917. (cat. 13).

fallait, disait-il, que les fonctionnaires portent l'uniforme, celui-ci devrait être noir, et non de couleur, à cause des taches d'encre.

Vers la fin de 1810, les tenants du port de l'uniforme marquèrent une avancée. L'empereur autorisa les fonctionnaires de la Chancellerie secrète de la cour et de l'État, ainsi que les fonctionnaires des missions étrangères à l'étranger à porter un uniforme, mais sans en faire une obligation. Les deux règlements furent consignés par écrit pour usage officiel, accompagnées de figurines et modèles de broderie aquarellés et/ou dessinés. L'exemplaire officiel porte la mention manuscrite : « *Vu et approuvé en tant que réglementation permanente. Metternich.* »

Les uniformes de la chancellerie d'État et des diplomates se composaient d'un habit en drap vert foncé, à la façon de l'habit officiel, avec un col droit et des revers de manche en velours noir (*ill. 19, 64, 65, 66, cat. 31 à 40,*). Abandonnant les étoiles, les rosettes et les galons, on différencia les grades à l'aide de broderies plus ou moins riches, dont la configuration, ainsi que les règlements relatifs aux boutons dorés, restèrent en vigueur jusqu'au XXe siècle. L'uniforme s'accompagna d'une épée civile ; d'un couvre-chef : chapeau à bords retournés ou bicorne avec nœud à bouillonné et cocarde, dont la plume était laissée à la discrétion du propriétaire

45 -Tenue de cour d'officier supérieur (brigadier) de la première garde des Arciers, vers 1910 (cat. 15).

46 - Tenue de cour d'aspirant-brigadier de la garde des Trabans, vers 1910 (cat. 8).

43 - Tenue de cour d'officier
de la garde hongroise
royale (dite « Pandur »),
vers 1910 (cat. 17)

suivant ses goûts personnels, alors que la résille à cheveux et le jabot à pointe n'étaient pas permis.

Le « contract » conclu à l'époque avec le brodeur en or de la cour, Andreas Alkens, sur la forme et le prix des broderies, est caractéristique du sens de l'économie en vigueur à la cour viennoise. Pour les grands uniformes des ministres ou d'ambassadeurs (1re classe), elles étaient fixées à 300 florins ; pour un conseiller à la cour à 32 florins et pour un petit employé de 11e classe à 13 florins.

Le port général de l'uniforme par la cour et les fonctionnaires ne débuta que quelques mois avant le début du Congrès de Vienne, au printemps 1814, bien que la conférence décisive, dont le rapport a déjà été mentionné, ait eu lieu le 2 mars 1812. Les hésitations quant à cette décision sont d'autant plus étonnantes que les uniformes locaux de la haute noblesse et de la chevalerie des pays héréditaires avaient été acceptés dès 1807 (ill. 33, 36, cat. 41, 42,).

En février 1814, des représentants des fonctionnaires d'État non encore dotés d'un uniforme avaient adressé une requête le demandant, à l'empereur. Metternich ébaucha aussitôt une directive qui incluait également les fonctionnaires de la cour, mais décida, par la suite, des règlements séparés. Le 25 avril 1814, l'empereur, qui

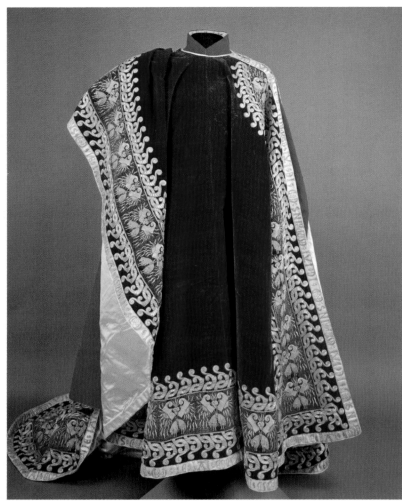

se trouvait à Paris, instaura par une lettre du cabinet le port de l'uniforme pour les fonctionnaires civils. La « *Directive imprimée concernant l'uniforme autorisé pour tous les fonctionnaires d'État de Sa Majesté royale et impériale* » parut à l'automne de la même année à Vienne et à Prague (*ill.25, cat. 7,*).

Les uniformes, tous vert foncé, portaient des revers en velours, de couleurs différentes selon les neuf administrations de la cour, ancêtres des ministères, ainsi caractérisées, le Conseil d'État, couleur bleuet ; la Chancellerie secrète de la cour et de l'État, noir ; le cabinet privé, vert foncé ; les administrations politiques de la cour, pompadour ; la Chambre de la cour, vert clair ; la Cour suprême de justice, bleu violet ; le directoire général des comptes, rouge carmin ; le Conseil de guerre de la cour, bleu clair ; l'administration de la police de la cour, gris argent.

Les administrations provinciales portaient des revers de mêmes couleurs que les administrations centrales dont elles dépendaient, mais s'en distinguaient par les épées et les boutons, ainsi que les broderies, en or pour les administrations centrales, en argent pour les administrations locales. D'autres couleurs avaient été fixées pour les administrations provinciales totalement indépendantes, dont le brun

48 - Costume de chevalier de l'ordre de la Toison d'or, Vienne, premier tiers du XIXe siècle (cat. 21) - détail.

49 - Costume de chevalier de l'ordre de la Toison d'or (cat. 21)
Porté par l'empereur Ferdinand Ier.

carmélite pour l'éducation et les universités, par exemple. Dans les États provinciaux, les uniformes furent accordés sur la base de requêtes antérieures : l'épée, le chapeau et les boutons étaient ornés des armoiries locales et non de l'aigle impérial. L'habit vert de l'uniforme des fonctionnaires de l'État se portait avec un gilet blanc et la culotte blanche ou noire. Une broderie d'or diversement graduée différenciait les douze classes, l'habit de gala des quatre premières étant couvert de riches broderies. Les deux premières classes, les ministres et les présidents des administrations de la cour, avaient un grand uniforme de gala (*ill. 67, 68, 69, cat. 38*), un petit uniforme (*cat. 39*) et un uniforme de campagne (*cat. 64*) ; les quatre classes suivantes, un uniforme de gala et un uniforme de campagne non brodé. Pour les classes inférieures, percevant un traitement, ces différences étaient inutiles puisque l'uniforme de campagne suffisait, pour leur service.

Le port de l'uniforme de l'administration aulique

Le port de l'uniforme par les quatre charges supérieures de la cour, les conseillers secrets, les chambellans et les écuyers tranchants impériaux – royaux, fut également décidé au printemps 1814 avec effet au 1er juillet de la même année.

50 - Costume de chevalier grand-croix de l'ordre hongrois de Saint-Étienne, Vienne, vers 1764 (cat. 22) détail.

51 - Costume de chevalier grand-croix de l'ordre hongrois de Saint-Étienne, Vienne, vers 1764 (cat. 22).

Il faut souligner que l'instauration de l'uniforme eut une importance très diverse selon les personnes concernées. L'uniforme de cour pouvait sembler aux représentants de l'ancienne génération et aux membres des familles aristocratiques, incompatible avec les droits féodaux et l'appartenance à la noblesse. Avant la dissolution de l'empire en 1806, il y avait à la cour impériale un très grand nombre de membres des maisons princières européennes et souveraines pour qui le port de l'uniforme aurait paru inconcevable. En fin de compte, on peut affirmer qu'au XIXe siècle, les uniformes militaires jouirent d'une considération supérieure à celle accordée à l'uniforme des fonctionnaires et des dignitaires de la cour, si bien qu'un général de cavalerie, par exemple, que l'empereur nommait au poste de grand écuyer ne se faisait pas tailler la splendide tenue de cour, mais exerçait sa fonction en uniforme de général. Il portait également la clé de chambellan, mais ne possédait pas l'habit de chambellan, et sa dignité de conseiller privé était toute honorifique. La clé de chambellan se portait aussi avec l'uniforme de fonctionnaire d'État, avec l'uniforme des villes de province, avec l'uniforme national et avec l'uniforme de l'ordre de Malte ou de chevalier de l'ordre Teutonique. Il y avait donc, en dépit d'un nombre relativement important de quelque trois mille

52 - **L'empereur Charles VI (1685-1740) en costume de l'ordre de la Toison d'or, accompagné d'un page (cat. 1).**

conseillers privés et chambellans, peu de gens portant l'uniforme correspondant à ces dignités. Le plus souvent, seuls les ministres, les professeurs d'université et les grands industriels affichaient leur haute dignité en portant l'habit brodé d'or du conseil privé.

D'après la directive du 1er juillet 1814, la couleur du tissu adoptée était le vert acier, très foncé qui semblait presque noir, comme le noir des voitures de la cour qui, dans une bonne lumière, étaient tout à fait vertes. La riche broderie prescrite et graduée en fonction des catégories était d'or ; elle était d'argent pour les écuyers tranchants (cat. 86). En ce qui concerne l'épée et le bicorne, les prescriptions étaient les mêmes que pour les classes supérieures des fonctionnaires d'État. Cependant tous les dignitaires de la cour portaient à leur chapeau des plumes d'autruche blanches. Mais, là aussi les écuyers tranchants constituaient une exception, leur *plumage* [en français dans le texte, N.D.T.] était noir.

Les détenteurs des quatre charges supérieures de la cour devaient porter de grands uniformes de gala, de grands uniformes d'État et de grands uniformes de campagne, alors que l'uniforme de campagne des dignitaires de la cour ne fût instauré qu'en 1819.

53 - L'empereur François Ier en costume de grand maître de l'ordre de Léopold. Tableau de Johann Baptist Hœchle (1754-1832), 1811.

54 - Costume de chevalier grand-croix de l'ordre autrichien de Léopold, Vienne, 1808 (cat. 23).

55 - Fondation de l'ordre
impérial autrichien de
Léopold par l'empereur
François Ier en présence des
chevaliers de la Toison d'or
et de l'ordre de Saint-
Étienne dans la nouvelle
salle des cérémonies de la
Hofburg.
Lithographie de Franz Wolf
d'après Johann Baptist
Hœchle, 1808 (cat. 24).

La différenciation des catégories se fit selon le principe qui voulait que le petit uniforme de gala ou d'État du grade supérieur fût semblable au grand uniforme de
gala du grade inférieur. La circulaire de 1819 fixa l'usage des différents uniformes
et des habits de deuil (*cat. 79*). Ces prescriptions restèrent pour l'essentiel en vigueur
jusqu'à la Première Guerre mondiale. L'usage fixé par le texte comprenait les
rubriques suivantes : cérémonies ordinaires de la cour – petit uniforme ou uniforme de campagne ; semi-gala – uniforme national ; grand gala – uniforme de
gala ; deuil de la cour pour les princes, les princesses et lors des cérémonies du souvenir – habit noir avec épée et boucles ; autre deuil de la cour et cérémonies du
souvenir – habit noir de cour avec crêpe de deuil au bras gauche, veste, culotte et
épée noires.

Les fonctionnaires de l'administration aulique et d'État

Comme nous l'avons déjà dit, Metternich avait prévu à l'origine que les fonctionnaires de l'administration aulique impériale portent le même uniforme que celui

56 - Costume de chevalier
de Ière classe de l'ordre
autrichien de la Couronne
de fer, Vienne, 1815-1816
Dessiné par Philipp von
Stubenrauch (1784-1848),
régisseur des costumes du
Théâtre de la cour (cat. 25)
détail.

57 - Costume de chevalier
de Ière classe de l'ordre
autrichien de la Couronne
de fer, Vienne, 1815-1816
(cat. 25).

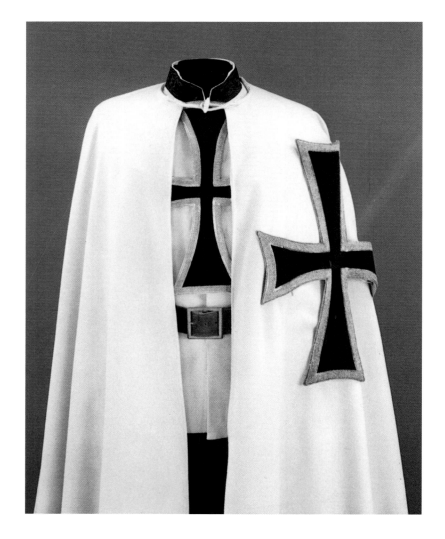

des fonctionnaires de l'État, la seule différence étant la couleur des revers. Dans un premier temps, la couleur prévue avait été le pompadour, une couleur qui déplut à l'empereur. Dans l'ultime projet de Metternich du 8 mars 1814, il ne fut plus question des fonctionnaires de la cour. Cela répondait aux intentions du grand intendant, le prince Ferdinand Trauttmansdorff qui, en janvier 1814, avait présenté un rapport à l'empereur sur une homogénisation du port de l'uniforme de la cour, des administrations de la cour et de la domesticité. Ce rapport suivait la décision du 23 décembre 1813, stipulant le port de l'uniforme pour le personnel des écuries des écoles d'équitation. Il avait été annoncé au grand écuyer que les diverses administrations de la cour porteraient le même uniforme.

Les normes concernant l'uniforme des fonctionnaires de la cour ne furent imprimées que le 11 septembre 1814.

En conséquence, la couleur des uniformes fut le vert acier, avec revers en velours vert, sur lesquels les fonctionnaires des quatre administrations supérieures devaient porter des broderies d'or. Pour les fonctionnaires des autres services, ceux des cabinets et des collections par exemple, les broderies étaient d'argent. Huit motifs de broderie différents devant caractériser et différencier les uniformes de gala et de

58 - Costume de l'ordre des chevaliers Teutoniques.

59 - Manteau de prestation de serment de haut dignitaire de la cour, 1902 (cat. 26).

campagne, de la 5e à la 12e classe, furent présentés au brodeur de la cour, Andreas Alkens. Quant aux quatre premières classes, ces uniformes de fonctionnaires étaient hors de question, puisqu'ils étaient chambellans ou conseillers privés et qu'ils pouvaient donc porter les uniformes de la cour.

Il est amusant de voir que les hommes en livrée des maisons aristocratiques marchaient désormais sur les brisées des fonctionnaires en uniforme. En avril 1816, il fallut décréter que la couleur vert foncé des livrées des chasseurs, et des serviteurs, en tant que couleur essentielle de l'uniforme des fonctionnaires de l'État continuerait certes à être autorisée, mais qu'il était interdit d'orner ces livrées de broderies, lesquelles distinguent l'uniforme des fonctionnaire de l'État.

Tous les uniformes de l'époque de François Ier se composaient, selon les directives de 1802, 1810 et 1814, d'un habit et d'une culotte, de bas et de chaussures à boucle. Seul le grand écuyer de l'empereur était autorisé à paraître en bottes à la cour. Comme nous l'avons déjà dit, cet habillement était indépendant de la mode. Le pantalon avait depuis longtemps supplanté la culotte. Pièce vestimentaire anglaise au nom italien, le pantalon s'était imposé dès 1790 à la suite de la mode

60 - Grand uniforme de gala de chambellan royal et impérial après 1893 (cat. 27), porté par le comte Paul Ludwig Forni (1849-1925), nommé chambellan royal et impérial en 1893.

61 - Grand uniforme de gala de conseiller privé royal et impérial, vers 1910 (cat. 28).

révolutionnaire des « sans-culottes » parisiens ; il avait été toléré dans les cours vers 1797 et évidemment interdit aux fonctionnaires comme « inconvenant ». Après 1815, cette interdiction valut dans toutes les cours allemandes. Après un dur et long combat, un billet manuscrit de Sa Majesté autorisa le port du pantalon à Vienne, en 1836, blanc pour l'uniforme de gala et vert pour l'uniforme de campagne, et décida l'adjonction de galons simples et doubles de trois largeurs différentes en or ou en argent.

Au fil des années quelques règlements vinrent compléter les directives sur le port de l'uniforme de 1814. En octobre 1825, une ordonnance concéda aux fonctionnaires jubilaires et pensionnés le droit de porter l'uniforme. La plupart des directives concernaient les administrations subordonnées, ainsi que les États provinciaux et les fonctionnaires des diètes.

62 - **Grand uniforme de gala de conseiller privé royal et impérial, tenue hongroise, vers 1915 (cat. 30), porté par Stefan Barczy von Barszihaza.**

63 - **Kalpak avec plumet en plumes noires de héron, accompagnant un uniforme de gala hongrois de conseiller privé (cat. 30).**

Le costume national

Faute de base juridique, l'empire d'Autriche de 1804 n'était pas un État uni. Les royaumes et les pays n'étaient réunis qu'à travers la personne du souverain habsbourgeois qui régnait, en tant que roi, grand-duc, duc, comte princier, etc. sur ces pays, sur la base d'anciens traités et décrets. La seule loi fondamentale commune était la « sanction pragmatique » de l'empereur Charles VI de 1724.

Les représentants des provinces appartenaient aux quatre ordres habituels : l'ordre des prélats, la noblesse (haute noblesse) et la chevalerie (basse noblesse), le quatrième étant constitué des représentants des villes. Au Tyrol, la paysannerie libre avait réussi à être représentée à la diète provinciale par l'intermédiaire de députés des cours de justice et des vallées. Les ordres représentaient l'État, on dira plus tard le peuple, face au souverain du pays. En pleine conscience de leurs droits et de leurs devoirs particuliers, ils avaient jusqu'au milieu du XVIIIe siècle, refusé de porter l'uniforme. Mais les réformes de Marie-Thérèse avaient ôté aux États provinciaux presque toute signification, et leurs membres n'apparaissaient plus dans toute leur splendeur qu'à l'occasion des cérémonies de succession où l'on s'efforçait même de se montrer en uniforme. Les membres séculiers héréditaires de la

64 - Uniforme de gala de conseiller ministériel au ministère des Affaires étrangères, vers 1910. (cat. 35).

65 - Uniforme de gala de directeur de Cabinet, vers 1910 (cat. 36), ayant probablement appartenu au baron Franz Schiessl von Perstorff.

66 - Le baron Joseph
Alexander von Hübner
en uniforme de gala
d'ambassadeur royal
et impérial.
Tableau de Carl von Blaas,
1878 (cat. 37).

diète et les dignitaires ainsi que les fonctionnaires du pays portaient – comme la société de la cour – des uniformes civils et militaires, des uniformes de cour quand ils avaient, par exemple, accédé à la dignité de chambellan ; ou des uniformes des États. Dans les pays héréditaires, il existait depuis le début du XIXᵉ siècle des uniformes de gala facilement différenciables, car composés d'un habit rouge vif brodé d'or ou d'argent à revers de velours noirs ou verts, d'une culotte blanche, d'un chapeau et d'une épée ; et un uniforme de campagne, aux revers richement brodés, qui se portait avec un pantalon blanc.

Ces uniformes régionaux avaient eu un précédent. En 1806, on rapporte qu'à l'occasion de l'entrée de l'empereur François à Vienne le 22 décembre, les membres de la diète de Basse-Autriche étaient venus, vêtus de l'uniforme de leur choix pour manifester leur fidélité corporative. Un an plus tard, en reconnaissance de leur fidélité et de leurs grands mérites, l'empereur accorda par décret du 23 décembre 1807, aux nobles et aux chevaliers, un uniforme, et en 1811 un uniforme de gala. Une aquarelle, étude pour l'uniforme régional d'apparat de 1811 et un échantillon du tissu avec des broderies d'argent sont conservés aux archives régionales de Basse-Autriche. L'habit brodé d'or et d'argent de cet uniforme est dépourvu

67 - Petit uniforme de gala
d'ambassadeur royal et
impérial (grand uniforme de
gala de ministre
plénipotentiaire), vers 1910
(cat. 38).

68 - Petit uniforme de gala
d'ambassadeur royal et
impérial (grand uniforme de
gala de ministre
plénipotentiaire), vers 1910
(cat. 38).
Détail de l'encolure devant.

**69 - Petit uniforme de gala
d'ambassadeur royal et
impérial (grand uniforme de
gala de ministre
plénipotentiaire), vers 1910
(cat. 38).
Détail des broderies au dos.**

d'épaulettes comme tous les autres uniformes conservés. Il faut supposer que la plupart des nobles portaient ce vêtement en le considérant comme honorifique, l'intérêt pour le service public ou la cour l'emportant sur la conscience d'appartenance à un ordre.

Sur des bases identiques, l'empereur octroya aux membres de la noblesse et de la chevalerie d'autres États de la couronne, des uniformes, longuement souhaités pour la Carinthie, définis par le décret du 9 mars 1808.

À la requête des États styriens du 15 septembre 1807, se référant aux uniformes déjà existants en Moravie et en Autriche (au sud de l'Enns), il fut répondu en date du 31 décembre 1807 qu'ils devaient soumettre des propositions. Le 31 mars 1808 paraît, signée du chef de l'exécutif de Styrie, le comte Ferdinand Attems, la description suivante :

« Uniforme de gala : chapeau noir à plumes noires, liseret noir, lacet et pompons dorés. Habit rouge à doublure blanche, col et revers verts brodés d'or ; épaulettes dorées sur lesquelles sont brodées les armes en couleur de la province, armes également appliquées sur les revers blancs. Gilet blanc et culotte courte de même couleur, bas blancs ; chaussures à boucles jaunes. Epée noire à poignée dorée et coquille sur laquelle sont appliquées

70 - Costume de fête de magnat hongrois Hongrie, vers 1865. (cat. 45). Probablement porté par Alexander, Erös de Bethlenfalva, chambellan à partir de 1865 qui, vraisemblablement, fit faire ce vêtement à l'occasion du couronnement de 1867.

71 - Costume de fête de magnat de Transylvanie, 1895 (cat. 43), porté en 1896 à Budapest par le baron Georg Sztojanovits de Latzunas (1864-1922), à l'occasion des fêtes du Millénaire de la Hongrie (cf. ill. 26).

les armes provinciales en relief, avec porte-épée doré, et un étroit baudrier en maroquin noir brodé d'or à porter sous la redingote ou le gilet.

Uniforme de campagne : l'uniforme de campagne se distingue de ce qui précède uniquement par le chapeau sans plume, et pantalon blanc avec bottes.»

Les États styriens avaient du reste déjà demandé en 1802 à l'empereur un uniforme pour leurs fonctionnaires ; demande rejetée avec la remarque qu'il n'y avait aucune raison de faire une exception pour la Styrie.

Durant la troisième guerre de coalition en 1805, la résistance de la population tyrolienne avait joué un rôle important dans la lutte contre les troupes françaises et leurs alliés. En 1807, la maison d'Autriche exprima sa gratitude, non seulement par l'acceptation d'un uniforme, mais aussi par la confirmation des statuts de la société de l'aigle tyrolien fondée en 1805. Les membres de cette société régionale portèrent en conséquence sur leur uniforme rouge de gala l'aigle rouge tyrolien avec épingle d'argent, plaque de poitrine et « petite couronne d'honneur » (*ill. 33, cat. 41*).

À l'époque de François-Joseph, on introduisit un habit bleu foncé dans l'uniforme de campagne, et le pantalon dans deux tenues de gala.

72 - Costume de fête de magnat hongrois, Hongrie, vers 1860-1870 (cat. 44), porté par Stephan Ier Mailath von Szekehelyi (1833-1903), burgrave de Bar, et son fils Stefan II Mailath von Szekehelyi (1865-1940).

73 - Tunique, dite « dolman », portée sous le manteau, dit « mente », du costume précédent. (cat. 44).

Les membres roturiers de la diète occupaient une place particulière. Leur costume paysan était considéré dans les capitales provinciales comme normal et susceptible d'être porté en société. En outre, il était représentatif de toute la province dans la mesure où le frère de l'empereur François, l'archiduc Jean, portait le costume local de sa terre d'élection, très exactement le costume gris verdâtre des chasseurs de haute montagne, donnant l'exemple d'une simplicité qui était d'usage dans de nombreux milieux. La cour de Vienne regardait d'un mauvais œil tout ce qu'entreprenait l'archiduc et vit là l'occasion d'interdire le port du costume styrien aux fonctionnaires d'État. Mais à la longue, l'exemple du prince styrien finit par s'imposer. À l'époque de François-Joseph, le costume styrien et tous les autres costumes régionaux – tout comme l'habit et le haut-de-forme – étaient considérés comme convenables pour les civils reçus en audience. Le costume régional a pu conserver jusqu'à aujourd'hui son prestige social. Il est intéressant de voir que dans une Autriche aux peuples multiples, les contraintes de la métropole aient pu être battues en brèche.

Au costume des provinces héréditaires correspondait en Hongrie, en Transylvanie et en Pologne, le costume des magnats (*ill. 70, 71, 72, 73, cat. 43 à 45*). Il était confec-

74 - Traîne de robe de cour, 1867 (cat. 46), portée lors du couronnement de Budapest en 1867 par la baronne Marie Wenckheim qui deviendra comtesse Lamberg (1848-1900).

tionné avec une très grande liberté, mais dans le cadre de la tradition, et aucun règlement ne venait en marquer les limites.

Le costume hongrois que sa pittoresque somptuosité a rendu célèbre à travers le monde s'est répandu au début du XVIIIe siècle à travers l'Europe sous sa forme militaire : l'uniforme des hussards. Il s'agit en fait du costume des Kuruzz dont la révolte d'abord paysanne s'était transformée en insurrection nationale contre les Habsbourg quand le prince François II (Ferenc) Rakoczi s'était mis à sa tête. L'insurrection fut matée, mais le costume des Kuruzz vaincus et dispersés à travers le monde devint populaire. Il se compose du dolman : tunique à brandebourgs, de la « mente » : manteau que l'on portait ouvert, souvent orné de perles, et qui, à l'origine, descendait jusqu'aux genoux, puis se porta plus court, de la culotte de cheval et de bottes. En tant que reine de Hongrie, Marie-Thérèse dota, dès 1760, la nouvelle garde du corps aristocratique hongroise de cet uniforme (ill. 47, cat. 17), de sorte que, pour des raisons politiques, un costume à la mode est devenu un uniforme de cour. En même temps, elle lui permit d'exister, dans la mesure où, dans la seconde partie du XVIIIe siècle, en Hongrie, le costume traditionnel disparut, les tissus gagnant en finesse et les broderies sacrifiant de plus en plus à la mode.

75 - Traîne de robe de cour, 1867 (cat. 47), portée lors de la cérémonie du couronnement de Budapest en 1867 par la baronne Fanny Wenckheim, née comtesse Szapary (1825-1891).

Or on assista, après les guerres napoléoniennes, à un renouveau de la conscience nationale. On se remit à porter et à apprécier l'ancien costume national. Le couronnement du roi Ferdinand V, empereur d'Autriche en 1835 sous le nom de Ferdinand Ier, à Pressbourg en 1830, marqua de façon décisive la renaissance du costume hongrois. Le Musée national hongrois conserve un magnifique exemplaire de l'époque, porté par le comte Domonkos Bethlen au couronnement de la reine Victoria à Londres en 1838. Ce n'est qu'à la fin du XIXe siècle que l'on disposa dans la plupart des maisons nobles de costumes nationaux de gala et de deuil que l'on ne portait qu'à l'occasion d'événements extraordinaires et de cérémonies, comme le couronnement royal de l'empereur François-Joseph et de l'impératrice Élisabeth en 1867 à Budapest et le millénaire de la Hongrie en 1896. C'est à ces seules occasions que les boutons, l'agrafe (forgo) et le sabre de forme turque, furent orné de perles, de coraux et de pierres et que des velours et des brocarts noirs supplantèrent les velours clairs de l'époque du Biedermeier.

76 - Robe de gala hongroise, 1867 (cat. 48), réalisée pour le sacre de François-Joseph en 1867, portée lors du sacre de Charles IV en 1916 par la comtesse Gabriella Széchenyi. Remise à la taille en 1896 pour le Millénaire de la Hongrie et peut-être en 1916. Voile et tablier, avant 1830.

77 - Livrée espagnole
de cocher et laquais en
1838, confectionnée d'après
d'anciens modèles à
l'occasion du couronnement
de Milan (cat. 72).

78 - La voiture impériale
attelée de chevaux blancs,
à l'espagnole, devant la
cathédrale Saint-Étienne.
Tableau d'un peintre
inconnu, vers 1870 (cat. 69).
Détail montrant une livrée
espagnole de laquais.

79 - Chaussure de livrée
espagnole de laquais
(cat. 72).

Georg J. Kugler

Les uniformes des fonctionnaires de la cour et de l'État sous le règne de l'empereur François-Joseph Ier

Les grands changements dans la structure de l'État et de la société mis en branle par la révolution de 1848, ont également conduit à changer les uniformes des fonctionnaires de la cour et de l'État.

Alors qu'il ne reste pratiquement aucun objet de la première moitié du XIXe siècle – même si les uniformes militaires ont été assez nombreux, il n'en reste presque rien –, un certain nombre de tenues, heureusement conservées, permettent d'illustrer les règlements en vigueur dans la seconde moitié du siècle.

Réglementation du port de l'uniforme des fonctionnaires de l'État de 1849

La nouvelle organisation de l'administration civile – par exemple, la répartition des compétences des ministères –, nécessita, de 1849 à 1857, une réglementation générale et plusieurs règlements spécifiques de l'uniforme qui demeurèrent en vigueur jusque dans les années 1880.

La réglementation, valant pour la majorité des fonctionnaires de l'État, adoptée par résolution impériale du 21 août 1849, fut imprimée en grand format avec tableaux en couleurs. Elle fut simultanément communiquée aux chefs des pays par arrêté du ministère de l'Intérieur daté du 24 août.

Le port de l'uniforme, jusqu'alors facultatif, fut rendu obligatoire à l'occasion de toute solennité, de même qu'au contact du public et des autres autorités. L'obligation de se procurer un uniforme, de même que l'aspect fortement militaire qui caractérise la réglementation de 1849, ne furent pas acceptés sans résistance, et il fallut y exhorter longuement les fonctionnaires et les grades inférieurs éloignés des capitales jusqu'à ce que, l'ère libérale aidant, la pression venue d'en haut se relâchât.

La tunique de 1849, montante, à deux rangées de boutons et col haut, ressemble à l'uniforme militaire. L'habit ayant fait son temps, seule demeura l'étoffe de couleur vert foncé. Pour différencier les commissions exécutives transformées en ministères, on conserva, dans la mesure du possible, les revers en velours de couleur. Dans ce règlement, les revers noirs de la chancellerie secrète de la cour et de l'État furent tout aussi absents que cette institution elle-même. Le rouge carmin distingua les fonctionnaires du nouveau ministère des Affaires étrangères et de la maison impériale. Les anciennes prescriptions concernant les diplomates restèrent inchangées. Ceux-ci continuèrent à porter l'habit à revers noirs brodés d'or. Le vert foncé des revers différencia la chancellerie du cabinet privé et du Conseil des ministres. Désormais, la couleur bleuet de l'ancien Conseil d'État caractérisa le tout nouveau ministère de l'Enseignement, tandis que deux nouvelles couleurs étaient attribuées aux deux autres nouveaux ministères : le jaune orangé au Commerce et le brun foncé à la Culture nationale. Le gris argent du conseil de la police disparut en même temps que cette institution.

Le président du Conseil et les ministres, les deux grades de la première catégorie, se caractérisaient par une broderie d'or sur fond rouge carmin, et ne portaient aucun autre signe distinctif. Les fonctionnaires des deuxième et troisième catégories portaient des galons dorés sur des revers de velours avec une, deux ou trois rosettes pour marquer leur rang, des galons dorés plus larges sur les manchettes singularisant la deuxième catégorie. Des rosettes dorées posées directement sur le col de velours distinguaient la quatrième catégorie. Les ministres portaient le bicorne à bords retroussés à la manière des chapeaux militaires, avec des plumes d'autruche blanches. Le bicorne des fonctionnaires de troisième catégorie était orné de plumes noires, celui des autres catégories en était dépourvu. En service ordinaire et en voyage, le port de la casquette de drap vert foncé presque noir était autorisé, en remplacement du bicorne. L'uniforme de gala ne se différenciait de l'uniforme de campagne que par la culotte blanche à la place du pantalon gris. En 1885, il fut supprimé et remplacé par le pantalon vert foncé.

En 1849, on prescrivit une élégante épée qui rappelait la période précédente, comme « arme de côté » complétant l'uniforme des fonctionnaires. Les diplomates et les dignitaires de la cour continuèrent à la porter jusqu'à ce que, en 1889, l'on imposât le sabre aux fonctionnaires de l'État. La poignée de cette épée était ornée d'une perle fine, le pommeau d'une tête de lion, la coquille d'une branche de chêne reliant la garde au pommeau ; toutes les parties métalliques étaient dorées. Cette arme se portait par dessus l'uniforme dans un fourreau plaqué d'or (*ill 33*).

En ce qui concerne les fonctionnaires de l'État du royaume de Hongrie et du royaume de Croatie – Slavonie, des règlements furent établis en 1852 : tenant compte des particularités nationales de ces peuples, ils adaptaient les uniformes aux costumes nationaux.

Réglementation concernant le port de l'uniforme des fonctionnaires de l'État impérial et royal de 1889

Cette réglementation du port de l'uniforme publiée au *Journal officiel de l'Empire* du 20 octobre 1889 sous la forme d'une ordonnance intéressant tous les ministères, apporta avec elle d'importants changements. Elle réintroduisait pour les trois premières catégories un uniforme de gala distinct de l'uniforme de campagne. Alors que l'habit de l'uniforme de gala conservait son caractère militaire, la tunique flottante à double rangée de boutons de l'uniforme de campagne avec son revers correspondait largement au vêtement que la mode masculine connaît aujourd'hui sous le nom de blazer. Épaulettes (fourragères) avec broderie et/ou cordons d'or et d'argent et rosettes servirent de signes distinctifs. Cet uniforme de campagne s'accompagna de la cape d'officier, la cape de fonctionnaire devenue proverbiale ; le bicorne en vigueur jusqu'alors demeura un attribut de l'uniforme de gala.

Pour ces deux uniformes, à la place de l'épée, on introduisit le sabre soutenu désormais sous l'uniforme par deux courroies de maroquin rouge.

L'égalité avec la Hongrie modifia le domaine d'application de ce règlement, comparé au précédent de 1849. Mais les fonctionnaires des trois ministères impériaux et royaux des Affaires étrangères, de la Guerre et des Finances ne furent nullement touchés (*ill. 64, 66, 67, cat. 35, 37, 38*) car dans le statut d'autonomie hongroise qu'avait entériné la création de l'Empire austro-hongrois en 1867, ces ministères étaient restés communs.

En ce qui concerne la première classe, les présidents des trois cours suprêmes de Justice et de la Cour des comptes, dont les uniformes dépendaient d'un règlement spécial datant de 1850, furent mis à égalité avec les ministres.

Les uniformes des services diplomatiques et consulaires

La *Réglementation permanente* de Metternich de 1810, complétée par l'introduction du pantalon en 1836, demeura également en vigueur après 1848. La coupe des habits officiels subit aussi peu de changements que le motif caractéristique des broderies à feuilles avec ses variations de fils d'or mat et ses paillettes brillantes. Le fait qu'une brochure lithographiée conservée aux archives de la maison des Habsbourg, de la cour et de l'État et portant le titre de *Réglementation de l'uniforme du corps diplomatique impérial et royal à l'étranger, et ses plus récentes modifications*, ne soit pas datée est caractéristique de cette continuité. Cette réglementation fut, par décisions impériales des années 1872, 1885, 1909 et 1916, complétée, mais ne subit aucune modification. Les décisions de Metternich furent en partie répétées mot à mot jusqu'en 1918 dans les annuaires des Affaires étrangères sous le titre de *Réglementation du port de l'uniforme des fonctionnaires du ministère des Affaires extérieures et du corps diplomatique*, et accompagnées des mêmes illustrations que celles que l'on peut trouver dans la brochure mentionnée.

En ce qui concerne les fonctionnaires consulaires, on remarquera que, après une première instruction officielle de 1820 et une note de la Chambre de la cour de 1846, il faudra attendre le 28 août 1850 pour que le ministère du Commerce désormais compétent publie un décret sur le port de l'uniforme (*cat. 40*). Cette réglementation continuait à autoriser le port de l'uniforme de gala du Vormärz [l'avant-Révolution de 1848] et, sur le plan de l'uniforme de campagne, se limitait à quelques changements de détails par rapport à l'uniforme général des fonctionnaires de l'État. Des épaulettes dorées furent ajoutées à l'habit écarlate de l'uniforme de gala à revers vert océan. Au nœud rouge argenté du bicorne fut adjoint un plumet aux couleurs nationales, les couleurs du drapeau.

En 1900, on publia une nouvelle *Réglementation du port de l'uniforme des fonctionnaires consulaires impériaux et royaux en service actif*. Elle introduisait à l'intention de ces fonctionnaires l'uniforme vert foncé des diplomates, mais se distinguait de celui-ci par le motif des broderies sur des revers de velours vert. Le splendide uniforme rouge était désormais réservé aux consuls honoraires.

Les institutions auliques impériales et leurs fonctionnaires

Un mois après, le 20 septembre 1849, à la réglementation du port de l'uniforme des fonctionnaires de l'État succéda la *Réglementation du port de l'uniforme des fonctionnaires des institutions auliques impériales et royales*. Ces fonctionnaires de l'administration de la cour prirent sous le règne de l'empereur François-Joseph de plus en plus d'importance, surtout dans la vie culturelle de la capitale de l'empire. La construction, Ringstrasse, du théâtre de la Hofburg, de l'Opéra et des deux musées de la cour revalorisa ces institutions, permit l'accès d'un public plus nombreux à la culture, et augmenta considérablement le corps administratif.

On adopta le bleu foncé pour l'habit des fonctionnaires de la cour, taillé à la militaire, avec des revers de velours noir à passepoil rouge écarlate. Des colliers brodés d'or ou d'argent marquaient les grades à l'intérieur des trois catégories, comme les rosettes pour l'uniforme des fonctionnaires de l'État. Pour la tenue de campagne, les pantalons étaient gris, et pour la tenue de gala, bleu foncé. Pour les deux pre-

mières catégories, le chapeau à bords retournés était soit simple, soit surmonté d'un plumet noir ; mais dans les deux cas, il était orné de rosettes à bouillonné avec, comme les boutons, l'aigle à deux têtes. Un chaperon accompagnait l'uniforme de campagne et se portait lors des voyages. Pour la première fois, il fut prescrit que l'épée devait passer par une fente de l'habit de sorte que seule la poignée, la « garde dorée », fût visible

À la fin du décret, une note nomme les fournisseurs contractuels des épées, passements, boutons et autres objets d'ornementation.

En 1874, le bureau du grand intendant de la cour prévoit quelques changements, mais il faut attendre 1897 pour qu'une *Réglementation du port de l'uniforme des fonctionnaires de l'administration aulique impériale et royale* soit publiée. Il ne présente par rapport aux stipulations antérieures qu'une seule modification essentielle : l'extension du schéma relatif aux fonctionnaires de cinquième classe à ceux de la quatrième classe. Nous y trouvons en revanche un supplément étendant le port de l'uniforme aux grands commissaires et aux commissaires de la cour, aux fonctionnaires des institutions auliques qui assuraient le service de la chasse, et prévoyant le port de l'uniforme lors des deuils de la cour.

80 - Spencer de jockey pour attelage de chevaux blancs, vers 1900 (cat. 70).

81 - Spencer de jockey pour attelage à chevaux bruns, vers 1900 (cat. 74).

L'empereur François-Joseph fit également modifier par le grand intendant de la cour, le prince Charles-François-Antoine de Liechtenstein les uniformes des institutions auliques, sous le titre *Réglementation de l'uniforme civil des services supérieurs de la cour, des conseillers privés, des chambellans et officiers de bouche*. Ce texte manuscrit entra en vigueur le 30 janvier 1851. L'empereur fit ainsi supprimer le grand uniforme de gala des charges suprêmes de la cour et des dignitaires et autorisa le port d'un pantalon blanc ou vert avec les uniformes de gala et de campagne. L'accroissement de l'appareil d'État, l'essor des transports publics, mais aussi le bien-être et le luxe de la société expliquent que le port de l'uniforme atteignit dans la seconde moitié du XIXe siècle des dimensions aujourd'hui inimaginables. Il y avait à Vienne non seulement les ministères et les services nécessaires à un grand empire et à l'administration aulique de l'empereur, mais également des administrations dépendant respectivement de l'impératrice et du prince héritier, et surtout les cours de plusieurs branches habsbourgeoises et de nombreuses maisons de la noblesse, fort importantes et coûteuses, avec leurs officiers, leurs dames, toutes sortes de charges et donc de gens en livrée, d'employés et d'équipages.

Aux multiples couleurs des livrées et à la digne simplicité des uniformes des fonctionnaires s'ajoutaient les uniformes militaires dont l'importance atteignit en Autriche-Hongrie un degré inconnu ailleurs en tant de paix. L'empereur François-Joseph portait l'uniforme dans les moindres occasions et l'imposa à tous les archiducs. L'uniforme permettait, au moins en théorie, à tout officier de pouvoir se montrer à la cour (*ill. 27*).

À partir de 1852, un événement traditionnel haut en couleurs allait disparaître, y compris des fêtes les plus importantes. Cette année-là, l'empereur François-Joseph conféra pour la dernière fois le titre de chevalier de l'ordre de la Toison d'or dans le cadre de solennités. Par la suite, les ordres ne furent plus décernés que par lettre. Les chevaliers n'apparurent plus que lors de la procession de la Fête-Dieu, et encore, sans revêtir le costume de l'ordre. La raison en est essentiellement pratique : il y avait trop peu de costumes traditionnels pour un nombre croissant de chevaliers. En 1852, l'ordre de la Couronne de fer comptait mille six cent quarante membres vivants alors que la garde-robe de l'ordre ne conservait que cent costumes datant de l'époque de la fondation. Les chancelleries des ordres et leurs organismes perdirent ainsi de leur importance, les gestionnaires des garde-robes n'ayant plus à délivrer qu'occasionnellement un costume quand un porteur désirait se faire portraiturer. Le fonds déménagea plusieurs fois, échappa de peu à la vente et à la dispersion qui en aurait résulté, et finit par aboutir au Monturdepot. Mais le costume d'ordre ne disparaît pas pour autant. En 1894, on créa un nouvel habit de gala inspiré des petits uniformes de gala des dignitaires pour les membres des ordres de Léopold et de la Couronne de fer, comme pour ceux de l'ordre de François-Joseph, qui ne pouvaient porter ni l'uniforme, ni le costume régional, tout en étant obligés de fréquenter la cour.

Par leur charme, ces uniformes ont marqué de multiples façons la mode de leur temps. Ils ont influencé directement le costume masculin, tout en constituant l'arrière-plan à la fois traditionnel et élégant d'une mode féminine en perpétuel changement.

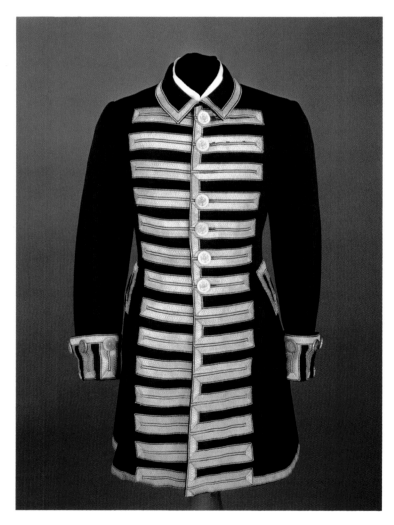

82 - Calèche attelée à la
Daumont de chevaux noirs
au bas du château de
Schönbrunn.
Tableau d'un peintre
inconnu, vers 1870 (cat. 73).

83 - Manteau de livrée de
gala de piqueur conduisant
un attelage à chevaux blancs.

Sous le règne de l'empereur François-Joseph Ier

Les « faiseurs d'habits » viennois vers 1900

On se demandera sûrement qui fabriquait tous ces uniformes, livrées et costumes d'ordres, et comment on pouvait répondre en temps voulu à la multiplication des commandes de nouveaux uniformes ou aux modifications exigées par les nouveaux règlements. Seule une capitale empreinte par tous les courants de la mode pouvait le réaliser – et Vienne fut, jusque dans la seconde moitié du XIXᵉ siècle, derrière Londres et Paris, la troisième capitale européenne de la mode. Il y avait à Vienne un grand nombre de tailleurs, dont l'activité était essentiellement tournée vers le vêtement masculin. On ne possède de chiffres relativement exacts que depuis le milieu du XIXᵉ siècle : vers 1860, il y avait à Vienne plus de trois mille ateliers de couture et le nombre de grandes entreprises, qui employaient essentiellement des ouvrières à domicile, allait sans cesse croissant. On en comptait plus de cinquante vers 1880 et presque quatre-vingt dix en 1885. Pour une ville de deux millions d'habitants, le corps de métier des tailleurs, couturières et de la confection du prêt-à-porter comptait alors quelque quatre-vingt-dix-huit mille personnes, dont plus de la moitié était des hommes.

Les couches sociales les plus fortunées ne disposaient que d'un nombre réduit de magasins de luxe peut-être sept ou huit. Appelés *Kavaliergeschäfte,* magasins de cavaliers, ces magasins sont encore aujourd'hui tenus en partie par les premiers tailleurs, chapeliers et chausseurs de Vienne. Dans ce type de magasin, on ne trouvait que le « grand travail » : les habits ou les vestes, et ce qui était exécuté à l'extérieur par le *Stückmeister,* maître-tailleur spécialisé dans une seule pièce vestimentaire et payé à la pièce. Ces magasins n'employaient que des journaliers à disposition pour l'essayage ou des tâches particulières.

Ils avaient des prix fixes connus sous le nom de tarif normal et de tarif de livrée.

Il est évident qu'il y avait des tailleurs spécialisés dans les uniformes et les livrées et que, sous l'impulsion de l'industrialisation dans la seconde moitié du XIXᵉ siècle, des fabriques d'uniformes apparurent. Les ateliers de tailleurs régimentaires furent peu à peu abandonnés, sans que les ateliers de tailleurs civils puissent entrer dans le processus de fabrication ; ils n'étaient pas non plus associés à la confection des uniformes des fonctionnaires de l'État. Les ateliers de confection d'uniformes travaillaient sur mesure, et non en prêt-à-porter, et utilisaient presque exclusivement le travail de l'industrie domestique.

Le titre de fournisseur de la cour ou de fournisseur de la Chambre (*Kammerlieferanten*) était décerné aux ateliers de couture de première qualité, qui figuraient en tant que tels dans le manuel de la cour de Sa Majesté ou de l'administration aulique immédiatement après les chanteurs et chanteuses d'opéras et les musiciens virtuoses. Ce titre était à la fois prestigieux et rare. Il a été attribué aux tailleurs Karl Moritz Frank et Anton Uzel, à la chapellerie Peter & Karl Habig et à la brodeuse d'art Marie Teschner. Mais on trouve au Monturdepot des habits et des culottes, des lames d'épée, des chapeaux et des cartons à chapeaux, etc. dont les étiquettes portent d'autres noms : l'atelier de confection d'uniformes Wilhelm Beck & fils, les tailleurs et passementiers Johann Blazincic & fils, le tailleur Moritz Tiller, les passementiers A. Kempny & fils, les chapeliers Wilhelm Pless et J. Skrivan & fils, le chapelier et passementier Franz Thill & neveu, l'armurerie Ohligs & fils, les joailliers Rothe & neveu pour les parties métalliques dorées. La maison Robert Schneider livrait des boutons et le nom de M. Strasser apparaît comme fournisseur de broderies d'or. Mais vers 1900, la célèbre maison Charles & Alkens qui fournit les premiers uniformes de fonctionnaires n'existait plus.

Pour la fabrication des perruques accompagnant les livrées de gala des cochers et des laquais, on mit à contribution des coiffeurs, notamment Carl Ewald, coiffeur de la cour et du théâtre de l'Opéra.

Parmi les rares costumes féminins conservés au Monturdepot, seul apparaît le nom de la couturière de la cour Madame Scheiner ; quant à l'habit de fête du prince héritier Otto (*ill. 9, cat 96*), il est griffé du salon G. & E. Spitzer.

L'administration aulique

L'administration aulique se composait des personnes qui étaient au service des princes, travaillaient à l'administration de leur maison et à la cour, et devaient assurer l'administration des cérémonies.

Durant des siècles, l'administration aulique avait réuni toutes les personnalités importantes de l'État et l'avait représenté. L'État absolu du XVIIᵉ siècle avait accru le nombre des tâches d'administration et de représentation sans qu'un appareil administratif se constituât en dehors de l'administration aulique. La phrase souvent citée « *L'État, c'est moi* », formule outrancière, traduit le fait que l'État est incarné par le souverain et la cour. Ce n'est qu'avec la doctrine de la séparation de l'État et de l'administration, et les réformes correspondantes, que la gestion politique cessa d'être du ressort des membres de l'administration aulique.

Dans la conception juridique de l'État moderne, donc à partir du XVIIIᵉ siècle, le prince était d'une part le chef de la maison du souverain – et en tant que tel le centre de l'administration aulique – et de l'autre le chef suprême de l'État et donc la tête du gouvernement. On peut parler de l'existence dans l'empire d'Autriche et dans la monarchie constitutionnelle de l'Autriche-Hongrie d'une grande administration aulique au sens étroit du terme, à laquelle étaient rattachées plusieurs institutions à fonction gouvernementale dépendant du monarque : la chancellerie du cabinet et la chancellerie militaire qui formaient avec les aides de camps (général et adjoints) les administrations auliques militaires, et enfin les chancelleries des ordres.

L'administration aulique dans le sens le plus étroit du terme était un milieu fermé sur soi avec ses propres lois, sa propre justice, celle du bureau du grand maréchal de la cour, et comprenait des bureaux et des services organisés en quatre grandes administrations.

Les administrations

Les charges de maréchal, de chambellan, d'écuyer tranchant et d'échanson héritées du Moyen Âge et instaurées dans toutes les cours princières ecclésiastiques et séculières constituaient le noyau, les éléments de base de l'administration civile de presque

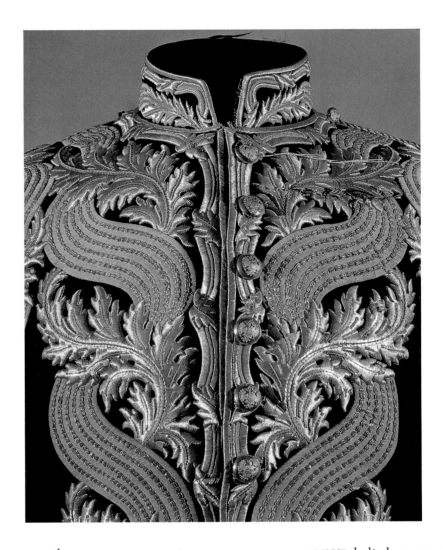

tous les pays européens. La réorganisation en 1527 de l'administration aulique par le roi Ferdinand Ier fixa les compétences des quatre grandes administrations telles qu'elles allaient être conservées jusqu'en 1918. Les chefs de ces administrations, les « charges suprêmes de la cour », étaient les personnages les plus importants de l'administration aulique, ce qui se traduisit, à partir de 1814, dans la somptuosité de leurs uniformes. Ceux-ci étaient ornés de broderies d'or d'une richesse exceptionnelle, sans que l'on puisse cependant, en dépit des grades – le grand intendant, le grand chambellan, le grand maréchal et le grand écuyer – les différencier. Ces personnages commandaient les quatre administrations dont dépendaient de nombreux services et fonctionnaires.

Au XIXe siècle, l'administration du grand intendant (*cat. 81*) dont faisaient partie, outre les finances, des administrations historiques, comme la haute administration des chasses et la haute administration des cuisines, correspondait, vu l'étendue de ses obligations à un véritable ministère. Ses compétences les plus importantes s'étendaient du département des cérémonies avec le service de salle accompli par les fourriers et les serveurs, au département des affaires relatives aux voyages et aux uniformes, de la construction et des calculs, au bureau de la perception et au bureau du contrôle,

84 - Grand uniforme de gala d'officier supérieur de la cour (grand écuyer), 1909 (cat. 65), porté par le comte Ferdinand Kinsky nommé grand écuyer en 1909.

**85 - Grand uniforme de gala
d'officier entré dans ce
grade en 1909 (cat. 65).
Détail de la broderie au dos.**

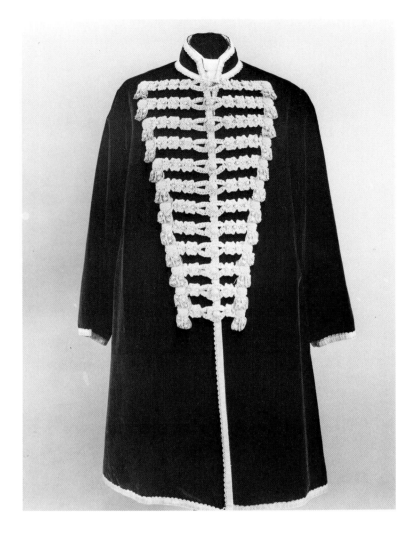

ainsi qu'à l'administration de la chapelle, à la musique et à la pharmacie de la cour.
Un certain nombre de ces institutions furent, à la suite de réformes internes, dissoutes, refondues, ou changèrent de nom, comme il est d'usage dans toute administration au bout d'un certain temps. Les médecins personnels ou de la cour et les hérauts, l'intendance des deux théâtres de la cour avec leur célèbre personnel artistique dépendaient également de cette administration. La capitainerie des châteaux de Prague à Miramare, les administrations des jardins et des chasses d'Ambras à Gödöllö s'occupaient d'un grand nombre d'affaires administratives. Enfin – ou tout d'abord – le grand intendant était également le commandant suprême de toutes les gardes.

Les domaines de compétence des trois autres administrations étaient bien plus réduits.

La grande chancellerie sous la responsabilité du grand chancelier administrait le trésor des Habsbourg-Lorraine, les collections historiques et les entreprises scientifiques. À partir de 1899, elle dut également s'occuper du Musée d'histoire naturelle et de la bibliothèque de la cour, administrés jusqu'alors par la grande intendance.
Outre le sénat judiciaire, toute une série d'interprètes et d'experts, ainsi que la

86 - Manteau de livrée espagnole de cocher et laquais
1838, d'après d'anciens modèles (cat. 71).

87 - Le prince Rodolphe
Colloredo-Mannsfeld, grand
intendant, en petit uniforme
de l'administration aulique.
Tableau de Ferdinand
Georg Waldmüller, 1835
(cat. 61).

Haute Cour maréchale de justice hongroise de Budapest, dépendaient de l'administration du grand maréchal.

Les écuries de la cour avec leurs écoles d'équitation, les équipages et les haras de Kladrub (Bohême) et de Lippizza (Karst), sans compter l'administration, dépendaient du grand écuyer (*ill. 84, cat. 63 à 65*). En faisaient partie, non seulement le personnel de ces services, mais également les chasseurs et les laquais personnels (*ill. 90, cat. 67*). Comme les splendides voitures d'apparat, ce personnel réhaussait l'éclat de l'administration dans toutes les cérémonies et contribuait de manière essentielle à l'image que le public pouvait se faire d'un événement officiel. Les cochers et les laquais n'étaient pas habillés en rouge comme le personnel de salle de la grande intendance, mais portaient des uniformes de gala jaune et noir et des uniformes de campagne en drap, couleur sable. En outre, ils revêtaient une livrée « anglaise », quand l'empereur était en visite privée ou séjournait à la campagne ; celle-ci se composait d'un habit marron foncé ou noir, d'un pantalon et d'un chapeau haut-de-forme. Le chasseur personnel d'un empereur ou d'un archiduc était un laquais particulier. Il changeait de livrée en fonction du service (livrées de gala, de voyage, de chasse ou d'intérieur et de service). Sa livrée de gala vert et argent avec cor et couteau de chasse pendus

à de lourds harnais bordés d'or et garnis d'argent faisait partie des plus belles tenues de la cour. Les supérieurs des laquais, cochers et piqueurs, les surveillants des laquais, les fourrageurs, les écuyers, etc. portaient au cours des fêtes de longues tuniques rouges. L'influence militaire est ici particulièrement évidente. À la cour, la différence entre les charges était nette : les charges supérieures portaient des uniformes à broderies d'or, les charges inférieures des uniformes à galons dorés.

Un chasseur personnel était au service individuel de chaque membre de la maison impériale. L'empereur et les autres membres de la famille impériale disposaient en outre de la Chambre qui répondait à ses besoins personnels et administrait sa garde-robe. L'administration aulique au sens le plus étroit du terme était donc un organisme doté d'un personnel important.

Les hauts fonctionnaires étaient les premiers conseillers de la cour et les directeurs de la chancellerie de chacune des quatre administrations. Celui qui parmi eux appartenait à la grande intendance avait le grade le plus élevé. En faisaient également partie, le directeur de la bibliothèque de la cour, l'intendant du Musée d'histoire naturelle et le premier écuyer.

Pages 104 et 105
88 - Promenade de l'empereur François-Joseph Ier avec sa fiancée la princesse Élisabeth, dans une vallée près de Bad Ischl. Tableau d'un peintre inconnu, vers 1855 (cat. 50).

89 - Manteau (capot) de livrée de gala de laquais, vers 1900 (cat. 68).

90 - Livrée de gala de valet d'arquebuse, vers 1900 (cat. 67).

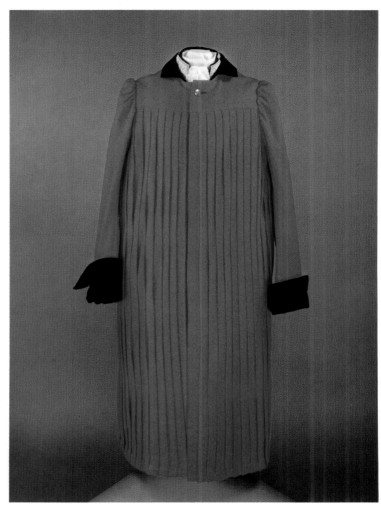

Les dignités

Les dignitaires de la cour – conseillers privés (*cat. 28*), chambellans (*cat. 27*) et écuyers tranchants (*cat. 66*) – occupaient une position particulière. À la cour, ils portaient un uniforme orné de riches broderies d'or ou d'argent et se différenciaient les uns des autres essentiellement par leur nombre et leur importance.

Membres de la haute aristocratie, les détenteurs des charges supérieures étaient tous chambellans ; en outre, presque tous accédaient au cours de leur carrière à la dignité de conseiller privé, de même qu'ils devenaient membres d'un des ordres de la maison d'Autriche.

Cependant, un très grand nombre de nobles n'ayant aucun rapport avec l'administration aulique, demandaient à accéder à la dignité de chambellan. Grâce à l'attribution de ce titre honorifique, ils pouvaient, lors de certaines solennités, être astreints à certains services. Sous le règne de Marie-Thérèse, le nombre de chambellans augmenta énormément. L'impératrice fut également à l'origine de la première ordonnance connue sur les quartiers de noblesse. À partir de 1760, il fallut prouver huit ascendants paternels et quatre ascendants maternels d'origine noble, la dignité fut accordée à vie et non plus pour la durée d'un règne. Mais parmi les mille cinq cents

91 - Livrée de gala de page, vers 1910 (cat. 77).

92 - Manteau de livrée de gala de page, 1916 (cat. 78), confectionné à l'occasion du couronnement, de l'empereur Charles, roi de Hongrie.

93 - Robe de cour hongroise portée pour le couronnement de Budapest en 1916 (cat. 99).

94 - **Robe de cour portée
par la princesse Elisabeth
Kinsky, née comtesse Wolff-
Metternich (1874-1909),
vers 1900 (cat. 80).**

chambellans vivants à la mort de l'impératrice, Joseph II n'en choisit, durant son règne, que trente-six à son service et n'en nomma que cinq autres. Sous les monarques suivants, on nomma un grand nombre de chambellans, mais les règles pour accéder à cette dignité furent fixées avec une plus grande rigueur.

Au début du XXᵉ siècle, ils étaient à peu près mille six cents. Lors des fêtes de la cour, ils pouvaient revêtir l'uniforme de cour introduit en 1814. Ils avaient le même grade (le 5ᵉ) qu'un général de division aulique, un conseiller ou un aide de camp-adjoint de l'empereur.

En revanche, il est évident que les uniformes militaires étaient mieux appréciés que ceux des fonctionnaires de l'État ou de la cour. Un officier portait, à la cour, sur sa tenue militaire l'insigne de sa dignité de chambellan : la clef de chambellan, mais sans l'habit de chambellan. Un général de cavalerie nommé grand écuyer par l'empereur ne se faisait pas tailler d'uniforme de cour, mais exerçait son service en tenue de général.

La clef de chambellan se portait également sur l'uniforme de fonctionnaire civil, sur le costume national, sur l'uniforme de l'ordre de Malte ou de l'ordre des chevaliers Teutoniques.

La clef de chambellan avait été à l'origine l'insigne que portait un familier de l'empereur auquel on transmettait le « pouvoir des clefs » relatif à certains domaines ; puis, elle devint l'insigne dignitaire d'une société aristocratique. Depuis le XVIIe siècle, dorée, elle était portée sur une poche de l'habit de cour, plus tard en arrière sous la couture de la taille, fixée sur un petit coussinet brodé d'or ; et, à partir de la fin du XVIIIe siècle, on se mit à la cacher sous un grand gland doré. Les conseillers privés et les conseillers auliques portaient ce dernier partagé en deux (*ill. 100*).

L'empereur octroyait beaucoup plus rarement le titre de conseiller privé, titre auquel on ne pouvait postuler. C'était une distinction pour services rendus, une haute décoration. Son attribution permettait de faire entrer dans l'institution aulique, ministres, chefs de section, professeurs d'université, grands industriels et mécènes d'organismes de bienfaisance. Ils y étaient les égaux de l'aide de camp général de l'empereur et des hauts fonctionnaires de la cour (4e classe).

Les écuyers tranchants n'avaient pas rang de cour et constituaient avec leur chef ce qu'il était convenu d'appeler la « cour extérieure ». Elle comprenait moins de cinquante personnalités ayant une situation mondaine et qui, en tant que fonctionnaires ou officiers à la retraite, pouvaient postuler à cette dignité.

Les écuyers tranchants devaient participer à la cérémonie du lavement des pieds du jeudi saint et porter à manger à des personnes âgées. Leur insigne était à l'origine la cuillère et la fourchette et, pour finir, une simple fourchette qui, sous le gland qui la recouvrait, pouvait être confondue avec la clef de chambellan. L'uniforme de cour des écuyers tranchants bleu foncé était brodé d'argent et se distinguait donc facilement au milieu des nombreux uniformes brodés d'or.

L'empereur octroyait le titre de conseiller, qui donnait accès à la cour, à des personnes méritantes faisant partie du monde politique et social. Bien qu'il fût le titre suprême auquel un fonctionnaire civil ou aulique pût prétendre à la fin d'une carrière réussie, il n'était pas question d'y postuler. L'uniforme de conseiller à la cour se composait d'un habit de conseiller privé et d'une culotte blanche.

Pour toute nomination ou octroi de dignités, des taxes étaient exigées qui, vers 1900, atteignaient pour les conseillers privés la somme exorbitante de 12 600 couronnes – le traitement annuel d'un haut fonctionnaire – pour les pages et les chambellans 2 100 couronnes, pour les chambellans qui, un jour, avaient été pages, seulement la

**95 - Livrée de laquais des
princes Kinsky,
vers 1880 (cat. 84).**

**96 - Livrée de page des
barons von Sztojanovits,
1896 (cat. 87)
(cf. ill. 26 et ill. 66, cat. 43).**

97 - Livrée de laquais
des comtes Attems
Vers 1820 (cat. 85).

moitié, pour les conseillers à la cour 1 260 couronnes, pour les écuyers tranchants 315 couronnes seulement. Les contributions apportées par ces taxes étaient en partie destinées à l'entretien du Musée de l'art et de l'industrie. À l'occasion d'une nomination, serment devait être prêté devant l'empereur, le jureur devant revêtir – jusqu'en 1912 – un manteau rouge (*ill. 59, cat. 26*). Deux de ces manteaux, dont un manteau de page, ont été conservés.

Les solennités de la cour se différenciaient en solennelles et ordinaires, ce qui, selon l'étiquette, avait pour conséquence la prescription de deux uniformes de gala différents. Pour montrer l'évolution de l'uniforme à la cour, on a mis en évidence la différence entre le grand et le petit uniforme de gala et l'uniforme de campagne, de même que l'on a suivi les prescriptions très précises concernant le vêtement noir durant les trois étapes du deuil respectées avec rigueur.

Les dames de l'ordre de la Croix étoilée, qui correspondaient aux chambellans, de même que les dames du palais qui étaient les égales des conseillers auliques, faisaient aussi partie des dignitaires de la cour ; en revanche, il n'existait pas pour elles d'habit de cour qui eût été l'équivalent de l'uniforme. Pour obtenir la « Croix étoilée », il fallait présenter une demande précisant ses quartiers de noblesse et accompagnée de cer-

tains documents, ce qui n'était pas le cas pour accéder à la dignité de dame du palais.

Les ordres de la maison d'Autriche

Comme on l'a vu, l'ordre de la Toison d'or était le plus ancien et le plus prestigieux. L'ordre de Marie-Thérèse et l'ordre de Saint-Étienne (*cat. 12*) étaient les premiers ordres du mérite militaire et civil. Les ordres les plus récents de la maison autrichienne étaient ceux de Léopold et de la Couronne de fer. L'empereur François-Joseph fonda l'ordre du mérite qui porte son nom.

Pour l'administration aulique, ils étaient importants : la hiérarchie précise des diverses catégories d'ordre du mérite offrait aux récipiendaires des possibilités considérables de promotion. C'est ainsi qu'à la procession de la Fête-Dieu les plus anciens dignitaires de la grand-croix de l'ordre autrichien suivaient immédiatement l'empereur, précédant même les archiducs.

Les membres des ordres n'avaient aucun service à accomplir à la cour. Apparaissant de moins en moins en costume de l'ordre et finissant même à partir de 1844 par ne plus le mettre, ils ne jouèrent pratiquement plus aucun rôle dans le cérémonial de la cour. Comme à l'époque de François-Joseph, on avait cessé de porter les costumes des ordres,

98 - Livrée d'officier de maison des comtes Attems Vers 1880 (cat. 86).

**99 - Remise de l'ordre
de la Toison d'or à deux
jeunes archiducs à l'occasion
du 400e anniversaire
de la fondation de l'ordre.
Lithographie de Franz Wolf
d'après Johann Baptist
Hœchle (1854-1832),
1830 (cat. 20).**

il fallut décider de l'habit que revêtirait tel haut personnage distingué par un ordre supérieur et ne pouvant user ni de l'uniforme ni du costume régional. La venue à la cour était une obligation, ne fût-ce que parce qu'il fallait remercier l'empereur de vous avoir octroyé cette distinction. On commença par recommander l'habit de deuil mais on se souvint bientôt de l'ancienne notion d'habit de cour qui existait encore dans d'autres cours européennes où l'uniforme n'était pas toujours prescrit. La publication d'un décret relatif à un habit de cour bien vite appelé «uniforme de l'ordre», suivit la décision de Sa Majesté du 14 mai 1894.

Les pages
Parmi les personnes appelées à servir, les pages impériaux et royaux (*ill. 91, 92, cat. 77, 78*) occupaient, en raison de leur origine nobiliaire, une place particulière. En principe, ils faisaient partie de la même catégorie que les fourriers, valets de chambre, portiers et laquais, mais ils devaient exercer des fonctions pour lesquelles «*un cavalier c'est trop, et un serviteur en livrée pas assez.*» Ils accompagnaient les souverains à l'église lors des grandes fêtes, à cheval lors de la Fête-Dieu, à l'occasion des fêtes des ordres, et devaient accomplir certaines tâches à l'occasion d'autres solennités, par exemple lors de l'installation de l'abbesse de la communauté des nobles dames du Hradschin à Prague, ou lors de la cérémonie d'investiture des cardinaux résidant en Autriche. Choisis en fonction de leur arbre généalogique, comme les chambellans, et de leurs résultats scolaires, les quelque vingt à trente pages étaient élèves du Theresianum. En cas de mauvais résultats, ils étaient immédiatement relevés de leur fonction. Les six aînés d'un grade percevaient un traitement. À la cour, ils étaient commandés par l'intendant des pages qui faisait partie de la haute administration des écuries ; un «garde-robe» attitré, choisi parmi les laquais de la chambre, gérait leur habillement. Une série de 29 aquarelles de Philipp von Stubenrauch, «dessinées d'après nature» en 1813, nous montre la domesticité placée sous les ordres du grand écuyer. On y voit des pages en uniformes de gala et de campagne, uniformes qu'ils conservèrent jusqu'en 1830 environ.
Dans la période précédant la Révolution de 1848, les pages disposèrent de trois sortes d'uniformes et d'un costume de service gris poussière. L'uniforme de gala utilisé à la cour se composait d'un habit bleu à revers rouges, d'une culotte de cheval jaune citron et de grandes bottes qui – comme pour les dignitaires de la cour – cédèrent la place, en 1836, à un pantalon blanc à galons dorés. Les pages portaient un bicorne et une épée. À partir de 1848, on introduisit l'uniforme de gala qui dura jus-

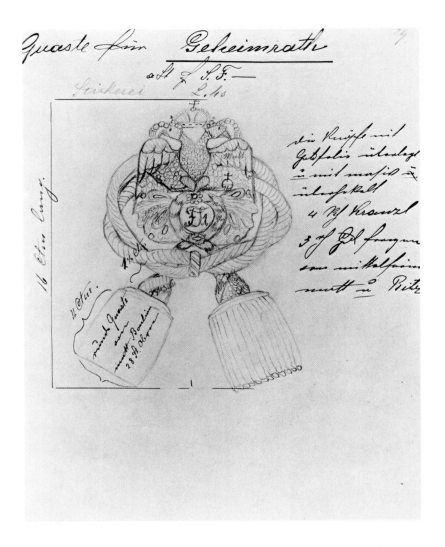

qu'à la fin de l'empire, et le tricorne (*ill. 46/rep 24*). L'épée fut supprimée ; par contre, la tunique fut ornée d'une épaulette et de bandes de soie magnifiquement brodées. L'uniforme de campagne, appelé également costume de service, était bleu foncé et orné de galons jaunes. Après 1848, il ne fut pas reconduit, les pages ayant à leur disposition l'uniforme du Theresianum. En revanche, l'uniforme de deuil fut conservé pour le Vendredi-saint et les enterrements ; un manteau noir vint encore le compléter en 1891.

Les gardes

Le règlement des diverses gardes prévoyait toute une série d'obligations relevant de la cour ; les deux gardes d'officiers, la première garde des Arciers et la garde noble hongroise étaient de service en permanence, alors que les autres intervenaient ponctuellement.

Les gardes de la cour de Vienne étaient issus des gardes du corps et du palais. Ces dernières se partageaient en Trabans et archers, dits « Arciers », mot d'origine italienne « arciere » signifiant « archers ». Les empereurs, les rois et archiducs de la maison d'Autriche n'entretenaient aucune troupe de gardes au sein de l'armée contrairement,

100 - Pompon recouvrant la clef de chambellan d'un conseiller privé. Esquisse extraite des carnets de travail de l'entreprise de passementerie Johann Maurer.

101 - L'empereur
François II en grand-maître
de l'ordre
de Saint-Étienne.
Tableau de
Franz P. Zallinger, 1804.

102 - L'empereur
Ferdinand Ier, en costume
de l'ordre de la Toison d'or.
Tableau de L. kupelwieser,
1847.

par exemple, à la France ou à la Prusse. À la fin du XVIe siècle, pendant la guerre contre les Turcs, il y eut quelques temps une garde à cheval autour de l'archiduc Mathias alors en campagne. De même, lors de la dernière campagne contre Napoléon en 1813-1814, il exista une garde noble de Bohême. L'empereur n'était pas seul à avoir des gardes : le successeur au trône, le « roi romain » et les souverains régnant de la maison d'Autriche en avaient aussi.

Vers le milieu du XVIIIe siècle, de nouvelles gardes furent installées à la cour de Vienne. François-Étienne de Lorraine commença par amener avec lui la garde suisse qui, déjà en 1738, l'avait accompagné à Florence et qui, de là, était venue à Francfort en 1745 à l'occasion du sacre impérial. Transférée à Vienne, elle accomplit, en tant que garde impériale en uniformes jaune et noir, le service de garde d'honneur en complément des Trabans archiducaux et des Arciers.

La garde suisse fut dissoute par l'empereur Joseph II en 1766-1767 parce qu'il avait exigé du canton de Lucerne de nouvelles conditions (capitulation) qui, pour ce dernier, étaient inacceptables. La cour suisse (Schweizer Hof) avec la porte suisse (Schweizertor) de la Hofburg aujourd'hui encore en rappelle le souvenir. Pour la remplacer, une garde impériale et royale à pied fut mise en place qui, en 1790, fut appelée garde des Trabans et qui reprit les fonctions des anciens Trabans (*cat. 31*). Cette garde fut hébergée jusqu'en 1840 à la Seilerstätte, puis dans le bâtiment de la garde des Trabans dans l'aile côté ville de la Stiftskaserne.

En sa qualité de reine de Hongrie, Marie-Thérèse fonda en 1760 à Pressbourg la garde noble hongroise (*cat. 14*) et acquit pour elle le palais Trautson devant la porte du Château (Burgtor). Il s'agissait ici d'un nouveau type de garde à laquelle on pouvait imposer de très hautes contraintes et qui, en retour, exigeait beaucoup. Alors que la garde professionnelle, militairement organisée et proche de la domesticité, était formée d'hommes simples, souvent de soldats pensionnés, celle-ci était constituée de jeunes nobles – originaires de Hongrie, de Croatie et de Transylvanie – qui s'engageaient volontairement et sans rétribution à effectuer pendant trois ou quatre ans un service à la cour du premier seigneur. Ce service était une distinction, semblablement à celui des pages. Seuls les officiers étaient rémunérés ; les autres gardes devaient subvenir eux-mêmes à leurs besoins quotidiens, à l'achat et à l'entretien de leur uniforme (un uniforme évidemment national, c'est-à-dire hongrois, rouge et argent) et de leur équipement. La diète hongroise (Reichstag) devait subvenir aux autres dépenses, ce qui ne sachant suffire, la garde fut ramenée en 1769 de cent vingt à quatre-vingt-dix, puis à quatre-vingts hommes.

**103 - Le prince
Trauttmansdorff, grand
écuyer, en costume civil
brodé.
Tableau de S. von Perger,
1814.**

En 1763, trois ans après la fondation de la garde hongroise, Marie-Thérèse fonda, en prévision du couronnement royal de son fils Joseph, une garde de cinquante jeunes nobles des États héréditaires allemands pris dans l'armée et qui devaient tous monter à cheval. Incorporés dans cette garde, ils avaient rang de lieutenant. L'impératrice mit à la disposition de cette garde noble allemande à cheval, dite garde noble ou des Arciers (*ill. 39, 44, 45, 112, cat. 12 à 16*), de nouvelles salles dans le bas château Belvedere. En 1772, le recrutement de cette garde fut complètement bouleversé. Désormais, soixante officiers méritants devenus incapables de faire la guerre, constitueraient cette garde. En 1806, il fut décidé que des roturiers pouvaient être acceptés, si bien que son nom fut raccourci pour devenir : première garde des Arciers. Elle conserva cependant la prééminence, y compris par rapport à la garde noble hongroise. L'ancienne garde des archers disparut d'elle-même, de même que l'éphémère garde noble galicienne fondée en 1773 par Joseph II. La garde des Arciers était responsable de la sécurité de la maison du souverain et toute désignée pour des tâches de représentation qu'elle accomplissait conjointement avec la garde hongroise.

Les conditions d'admission étaient strictes : une belle apparence, une certaine taille minimale, une bonne conduite et des mérites particuliers à l'armée. Pour toutes les gardes, la préférence était donnée au célibat.

Vêtue de l'habit « rouge ponceau » brodé d'or (de la tunique à partir de 1850), la garde des Arciers incarnait, en particulier sous le règne de l'empereur François-Joseph, comme aucune autre institution, l'éclat de la cour impériale. En 150 ans d'histoire, vingt-sept chevaliers de l'ordre de Marie-Thérèse y ont servi ; son dernier capitaine, le baron von Dankl (*ill. 44, cat. 13*), général, était commandeur de l'ordre. Son uniforme fut racheté après l'effondrement de la monarchie en 1919. Le capitaine et le lieutenant de la garde étaient toujours des généraux, le lieutenant de la garde avait rang de feld-maréchal. Quarante-trois officiers supérieurs y servaient. Les gardes étaient au moins capitaines de cavalerie. La garde des Arciers était donc composée d'officiers en fin de carrière, alors que la garde noble hongroise n'accueillait que des jeunes gens qui étaient, eux, au début de leur carrière.

La formation d'un corps de garde d'un pays de la couronne, dans la garde était toujours liée à des intentions pédagogiques, tant dans le sens d'une éducation au service du souverain que dans celui d'une formation générale et scientifico-militaire. Les objectifs étaient donc semblables à ceux retenus pour la formation des pensionnaires du Theresianum, parmi lesquels on choisissait les pages. Joseph II les a exprimés avec énergie dans un rappel à l'ordre qu'un jour il avait adressé à sa garde noble galicienne, les gardes ayant exprimé leur dédain de l'étude de la philosophie : « *Un jeune homme qui, d'une façon ou d'une autre, a l'occasion d'apprendre et ne le veut pas, suscite fort peu l'espoir d'être utile à l'avenir de l'État ; en conséquence, ces gardes, s'ils ne se défont pas de cette manière de penser indigne d'un officier, ne pourront compter sur la protection et la grâce de Sa Majesté.*

La création de la garde noble lombardo-vénitienne en 1838 se fit également avec l'intention d'engager la « jeunesse dorée » du nouveau royaume – tout juste fondé lors du Congrès de Vienne – auprès de la cour de Vienne, mais en vain. Après la Révolution de 1848, le recrutement de la *Real Guardia Nobile Lombardo-Venetia*, comme il était écrit au-dessus de la porte de sa caserne dans la Ungargasse, fut abandonné et la garde fut donc dissoute en 1856, ses officiers étant intégrés à la garde des Arciers.

En revanche, fut fondée, en 1849, une nouvelle garde forte de cent hommes : la gendarmerie de la garde, chargée du service d'ordonnance et de la sécurité à la cour. En 1869, elle prit le nom d'escadron monté de la garde. Une caserne et un manège furent construits dans la Lerchenfelderstrasse à la place du jardin baroque du palais voisin de la garde hongroise. Les « gardes montés » portaient une tunique vert foncé à parements (signe distinctif de leur régiment) écarlates, des aiguillettes et des épaulettes dorées et un casque à pointe avec plumet en crin de cheval noir. Cette garde était composée de sous-officiers de cavalerie en fin de carrière dont une partie avait appartenu à la garde du Burg. Cette dernière avait remplacé en 1802 les Invalides qui, à cette époque, exerçaient la surveillance dans les châteaux. Elle finit par être admise en 1884 comme cinquième garde sous le nom de compagnie d'infanterie de garde (*cat. 19*). Son uniforme se différenciait de celui de la garde montée uniquement par le pantalon vert foncé à la place de la culotte de cheval. Le capitaine de la garde des Trabans en exerça souvent conjointement le commandement.

La plus récente de toutes les gardes fut la garde royale hongroise des Trabans fondée seulement en 1904. Elle portait un uniforme hongrois, avec un attila « rouge ponceau » et le casque dit « à la Zriny » avec plumes de héron. La garde hongroise de la couronne faisait partie, non pas des gardes, mais de l'administration aulique. Ces uniformes étaient en harmonie avec ceux des anciennes gardes dont l'uniforme fut modifié au lendemain de la Révolution de 1848. La tunique avait alors remplacé l'habit brodé ; on porta un casque argenté ou un casque à pointe garni d'un plumet à la place du chapeau à galons dorés ; la culotte moulante en daim blanc, accompagnée de hautes bottes vernies, remplaça le pantalon blanc (*cat. 18*).

Les fonctionnaires de la cour et la domesticité

La plus grande partie des fonctionnaires de la cour n'étaient pas assujettis au service de cour. Les fonctionnaires des administrations auliques et des administrations des châteaux et jardins, les directeurs et les conservateurs de collections mondialement connues, les membres du théâtre de la cour (Hoftheater), de l'orchestre de la cour (Hofkapelle) et de l'académie des Sciences étaient cependant contraints, comme tous les fonctionnaires civils, de porter un uniforme et, lors des grandes cérémonies, constituaient avec leurs uniformes de gala le décor nécessaire aux acteurs principaux. Une partie de la domesticité portait l'uniforme, l'autre la livrée. La première dépendait du grand intendant, la seconde du grand écuyer.

Le personnel des appartements impériaux (valets de chambre personnels et simples valets), de la table, de la cuisine de la cour, les surveillants de l'argenterie et du mobilier, le personnel des musées, des théâtres, des châteaux et des maisons de chasse, des jardins et des ateliers portaient l'uniforme. Ils étaient classés en onze puis en douze catégories salariales. Aucun uniforme n'a été conservé, alors que, répartis en uniformes de gala, de campagne et de travail, en tenue d'hiver et d'été, ils furent extrêmement nombreux et variés. Dans les années de misère qui allaient suivre, des centaines, voire des milliers de gens ayant fait partie du personnel de la cour et qui, après 1918, furent réemployés par les services de la République autrichienne ou renvoyés ; ils continuèrent à porter l'uniforme sans modification aucune, en guise de vêtement de travail ou de tous les jours.

Les livrées aujourd'hui conservées proviennent de l'administration du grand écuyer qui ne fut pas dissoute à cause des chevaux, qui exigeaient d'être nourris, soignés et sortis ! On vendit bien, de temps à autre, soit directement soit aux enchères, des chevaux, des voitures et des livrées, mais le temps passant, on finit, avec la distance, par se rendre compte qu'il fallait conserver une partie des biens de l'État.

**104 - Première remise
de l'ordre royal hongrois
de Saint-Étienne par la reine
Marie-thérèse, 1764.
Tableau de
Martin van Meytens.**

Élisabeth, impératrice d'Autriche, reine de Hongrie et la mode.

ans les années 1850-1860, deux impératrices, Eugénie en France, Élisabeth en Autriche, ont été tenues pour les plus belles femmes du monde. Tandis qu'Eugénie a contribué à lancer de nouvelles modes, Élisabeth ne voulut pas jouer ce rôle car elle était embarrassée par la ferveur que lui vouaient de nombreux admirateurs.

Cette femme singulière, malheureuse, souffrait de la rigidité de son siècle. Elle chercha à se rendre utile, à s'épanouir dans la création et à s'exprimer. Aussi écrivait-elle des poèmes, montait-elle à cheval. Mais elle s'était fixé aussi un autre but : devenir la plus belle femme du monde et c'est dans ce domaine qu'elle a le plus parfaitement réussi ; d'ailleurs la nature l'avait favorisée : longue chevelure opulente, yeux expressifs, visage mince aux proportions parfaites et aux nobles traits. Elle était fine et élancée[1]. Elle ne cherchait pas à dicter la mode à Vienne ou à Paris, mais elle en suivait toujours les dernières expressions qu'elle simplifiait et transformait selon ses goûts. Les nombreux tableaux qui exaltent sa beauté mais plus encore les vêtements conservés dans différentes collections en portent témoignage. De sa garde-robe de jeune fille, subsiste la robe de sa veille de noces, robe aujourd'hui conservée au Monturdepot du Kunsthistorisches Museum de Vienne, en organdi vert, ornée de ruches et brodée d'arabesques. Elle met en valeur la finesse de sa taille et son joli buste. On a pu admirer sa robe de fiançailles en moire antique, brodée d'or et d'argent dont il ne reste que la traîne conservée également au Monturdepot.

La valeur de son trousseau s'élevait à 5 000 florins – rappelons qu'en comparaison, une robe très élégante coûtait environ 100 florins – son trousseau réunissait dix-sept robes de cour, cinq vêtements du matin, dix-neuf costumes d'été, quatre robes de bal, douze parures différentes, seize chapeaux, quinze mantilles en dentelle, des châles, des mantelets, six mantes, huit mantilles en soie ou en peluche etc. Elle n'avait pas moins de cent treize paires de souliers, car l'étiquette « espagnole » prescrivait qu'elle en change tous les jours. Mais il n'y avait que quatre corsets, dont trois servaient lorsqu'elle montait à cheval, particularité de

105 - L'impératrice Élisabeth en grande robe de bal. Réplique d'atelier du tableau de Franz-Xaver Winterhalter, 1865 (cat. 53).

1. Elle mesurait 1,75 m avec un tour de taille de 50 à 52 cm et un tour de poitrine de 85 cm environ, mensurations qui permettent aujourd'hui d'identifier certains vêtements.

son trousseau qui prouvait qu'à 15 ans, elle n'avait pas besoin d'en porter en rai-son de son extraordinaire minceur.

Dans les premières années de son mariage, c'est sa belle-mère, l'archiduchesse Sophie qui choisissait les vêtements de la jeune impératrice. Elle réussit cependant à obtenir une robe de cour à la hongroise, témoignage de son affection pour les Hongrois et de son aversion pour sa belle-mère qui les détestait... Elle la porta au « bal de la bourgeoisie » de Pest lors de sa visite en Hongrie en 1857 ; elle était ainsi revêtue des couleurs nationales hongroises blanche, rouge et verte : sa robe était blanche ornée de rubis et d'émeraudes. Porter les couleurs nationales en quelque sorte en cachette, au cours des années 1850, constituait un manifeste national. Il n'est donc pas étonnant que l'impératrice d'Autriche ait remporté un grand succès auprès des sujets rebelles hongrois.

106 - Robe de veille de noces de la princesse Élisabeth en Bavière 1854 (cat. 51).

Au cours des années 1860, elle n'eut plus recours à sa belle-mère pour choisir ses vêtements. Elle commanda de nombreux et beaux costumes aux célèbres tailleurs de cour de Vienne et devint une fidèle cliente de Charles-Frédéric Worth. C'est le célèbre couturier qui créa en 1867 sa robe de couronnement hongroise, robe en soie blanche somptueusement brodée d'un décor floral en fil d'argent et au corsage en velours noir, orné de perles et aux manches en dentelle blanche comme son voile et son tablier.

Dès sa jeunesse, elle préférat la couleur noire. Lors de sa rencontre avec Franz-Joseph, elle portait une robe noire car elle était en deuil d'une tante et n'avait pas eu le temps de changer de vêtement. Cette robe lui seyait si bien qu'elle a probablement contribué à la rapide demande en mariage de l'empereur. Au Monturdepot sont conservées deux robes en soie noire, entrées dans les collections comme ayant appartenu à

107 - Traîne de cour de la robe de mariée de l'impératrice Élisabeth, 1854 (cat. 52).

**108 - L'impératrice
Élisabeth en tenue
de couronnement hongrois
Tableau de Georg Raab**

l'impératrice Caroline-Augusta, veuve de l'empereur François Ier et décédée en 1873. Mais les donateurs se sont trompés sur les mesures de ces deux robes, différentes des vêtements portés par Caroline-Augusta, et sur la date de leur réalisation après 1873. Preuve en est fournie par l'analyse stylistique ainsi que par la griffe du cordon à la taille : *Fanny Scheiner Michaeler Platz 4*, l'activité de cette maison se situant entre 1876 et 1887. Tout laisse penser, et en particulier les mesures, qu'elles appartenaient à Élisabeth. Une recherche minutieuse [2] a permis de montrer que lors des cérémonies d'enterrement de Ferenc Deak, célèbre politicien hongrois, Élisabeth portait près du catafalque un costume dont la jupe était semblable à cette robe de deuil dite « grande » ainsi qu'une coiffure identique. La robe daterait donc de 1876 et serait conforme à la mode du temps. Quant à l'autre tenue, elle aussi en soie et à traîne, on peut la dater autour de 1886, il s'agirait d'une robe de dîner. Il n'est pas exclu que l'impératrice l'ait portée lors d'un dîner de cour donné en l'honneur du prince héritier danois et de sa femme [3].

Au cours des dix dernières années de sa vie, après la mort tragique de son fils Rodolphe, Élisabeth s'est toujours vêtue en noir, exceptions faites à l'occasion du

2. Mihaly Zichy-Alphonse Masson : la reine Élisabeth au catafalque de Ferenc Deak. cuivre.

3. M. Illustrierte Wiener Extrabaltt 1886, Nr. 388, P.3.

mariage de sa fille préférée, Marie-Valérie et du baptême de la fille de cette dernière. Les deux grandes robes à traîne révèlent déjà la façon dont elle commandait ses costumes. Au premier coup d'œil, elles sont presque identiques et elles suivent la dernière mode mais leur coupe et leur ornementation en sont modérées, plus simples que le « grand chic ».

Quelques détails formels récurrents manifestent le goût personnel de l'impératrice. Elle aimait les perles noires, le jais, les manches bouffantes, les hauts cols, les volants de dentelle couvrant si possible le cou, les gros jabots en mousseline, les plissés sur la poitrine et les larges ceintures plissées, en soie.

Ces caractéristiques précises se retrouvent aussi sur les trois corsages conservés dans la collection textile du Musée national hongrois. Le corsage en tissu noir au décor hongrois en passementerie peut probablement être daté de 1896, tandis qu'elle portait l'autre dans les dernières semaines de sa vie à Nauheim. Le corsage en soie noire qu'elle portait le 10 septembre 1898, jour de son assassinat, au bord du lac de Genève est semblable à ce dernier.

109 - Robe noire de cour de l'impératrice Élisabeth d'Autriche après 1878 (cat. 57).

**110 - Robe de jour
probablement portée
par l'impératrice Élisabeth
lors de sa cure en 1898
à Nauheim et à Territet,
avant sa mort (cat. 59).**

**111 - Robe de cérémonie
probablement portée
par l'impératrice et reine
Élisabeth, année 1880
(cat. 55).**

112 - Tenue de cour de trompette de la première garde des Arciers, après 1905 (cat. 16). Brodée aux armoiries de l'empire d'Autriche figurant sur le drapeau choisi en 1806 L'aigle à deux têtes couronné, noir sur fond d'or, symbole du Saint Empire romain germanique, rappelle l'aigle romain. Le blason central est aux couleurs de l'Autriche : rouge - blanc/argent. À gauche, le lion des Habsbourg, à droite les alouettes de Lorraine. Il est entouré par les emblèmes des ordres de Léopold, de la Couronne de fer, de Saint-Étienne, de Marie-Thérèse et de la Toison d'or. Autour du blason central, les armes des royaumes, duchés et comtés de l'empire des Habsbourg - À gauche, à partir du haut : royaume de Hongrie ; royaume de Lombardie - Vénétie ; royaume d'Illyrie (ex. Provinces illyriennes de l'Empire napoléonien) constitué de la Carinthie, la Carniole (Slovénie), le comté de Goritz-et-Gradisca (Gorizia), l'Istrie, des portions de la Croatie, la Dalmatie, Raguse (actuellement Dubrovnik) et les Iles ioniennes ; archiduché de Transylvanie ; comté de Moravie et duché de Silésie ; principauté du Tyrol ; duché de Styrie et de Carinthie ; duché de Salzbourg ; archiduché de Basse-Autriche ; royaume de Galicie ; royaume de Bohême.

Uniformes pour un état multiple

I - La mise en règles des uniformes de cour

Portraits de souverains qui établirent l'uniforme de cour

1 L'empereur Charles VI (1685-1740) en costume de l'ordre de la Toison d'or, accompagné d'un page

En tant que roi d'Espagne (1703-1711), l'empereur Charles VI était déjà souverain de l'ordre lorsqu'il prêta serment en 1712, juste après avoir été couronné empereur romain germanique. À l'arrière-plan, un page porte le chaperon. Charles VI est le premier souverain de l'ordre qui appartienne à la lignée autrichienne de la maison des Habsbourg.
Tableau d'un peintre inconnu, vers 1720 *(ill. 52)*.
Huile sur toile (53 x 43 cm).
KHM, Vienne - GG 9113

2 L'empereur François Ier (1745-1765), François-Étienne de Lorraine, en manteau espagnol

Le manteau espagnol fut jusqu'en 1751 le seul habit de cour autorisé pour les cérémonies en dehors du costume de l'ordre de la Toison d'or. L'empereur François Ier autorisa en 1751 les officiers impériaux à porter à la cour l'uniforme militaire, et se mit lui-même à le porter.
Le manteau espagnol ne fut supprimé qu'en 1770 par l'empereur Joseph II.
Tableau de Martin van Meytens le Jeune (1695-1770), vers 1750.
Huile sur toile (150 x 117 cm).
KHM, Vienne - GG3440

3 L'empereur Joseph II (1765-1790) portant l'uniforme de son régiment des chevau-légers

Joseph II, empereur romain germanique, corégent avec sa mère Marie-Thérèse à partir de 1765, souverain des États autrichiens, roi de Hongrie à partir de 1780. L'empereur est représenté portant l'uniforme de son régiment des chevau-légers avec l'ordre de la Toison d'or (à la boutonnière), le ruban et les étoiles de l'ordre militaire de Marie-Thérèse et de l'ordre de Saint-Étienne. Ce portrait présente Joseph II en despote éclairé désireux d'améliorer le sort de ses peuples.
Tableau de Joseph Hickel (1736-1807), vers 1785.
Huile sur toile (152 x 115 cm).
KHM, Vienne - GG8790

Du Congrès de Vienne à 1836 : culotte et habit de style rococo

4 Habit de cour
Vers 1780

Habit « à la française » en soie changeante rayée vert olive-violet, à col debout, revers de manche et rabats de poche. Riche broderie en soie multicolore (motifs de fleurs).
Culotte de même matériau. Broderie en soie multicolore sur la patte de genou.
Gilet en soie blanche rayée, sans col. Riche broderie en soie, motifs en harmonie avec l'habit.
Porté par le lieutenant-colonel Jean-Baptiste Bréquin de Demange (1708-1785) *(ill. 40)*.
Acquisition provenant d'une collection privée, 1986.
KHM, Vienne - N - CCV

5 Habit officiel
Vers 1815

Habit « à la française » en velours marron à col debout, revers de manche et rabats de poche. Riche broderie en soie blanche (motifs de palmettes et fleurs stylisées). Le haut col debout d'origine a été ultérieurement coupé. Sur le rabat de la poche droite, nœud destiné à la clé de chambellan.
Gilet en velours marron. Broderie identique en soie blanche.
KHM, Vienne - U932 + U955

6 Habit officiel
Vers 1815

Habit « à la française » en reps de soie violet et brun à col debout, revers de manche et rabats de poche. Riche broderie en soie multicolore (motifs de fleurs et plantes stylisées). Le haut col debout d'origine a été ultérieurement coupé.
Gilet en reps de soie blanc. Broderie en soie multicolore en harmonie avec l'habit.
KHM, Vienne - U 938 (frac) + U961 (gilet)

Décrets fixant les uniformes

7 Réglementations du port de l'uniforme des fonctionnaires de l'Etat : 1814, 1836, 1849... *(ill. 25).*
Quatre lithographies colorées vers 1849.
33 x 50 cm, MD 40 491.
KHM, Vienne

II - L'empereur

François-Joseph Ier (1830-1916), empereur d'Autriche

8 L'empereur François-Joseph (1848-1916) en majesté

A partir de l'adoption d'une constitution libérale et afin de conserver l'équilibre avec la Hongrie (1866), on prépara un sacre royal à Prague et un sacre impérial à Vienne. Mais seul le couronnement hongrois eut lieu à Budapest en 1867.
Tableau de Franz Schrotzberg (1811-1889), vers 1865-1870.
Huile sur toile (124 x 93 cm).
KHM, Vienne - GG 9830

9 L'empereur François-Joseph en uniforme de gala de feld-maréchal autrichien, tenue hongroise

L'empereur François-Joseph Ier fut à partir de 1867, roi « couronné » de

Hongrie. Il porte sur son uniforme de gala, tenue hongroise (attila et kalpak), l'ordre de la Toison d'or ainsi que l'écharpe et l'étoile de l'ordre de Saint-Étienne. Ce portrait peint vraisemblablement à l'occasion des fêtes du millénaire du royaume de Hongrie à Budapest en 1896, est un cadeau personnel offert à une famille de magnats hongrois, acquis par la suite à Paris en 1956.
Tableau de Mihaly von Munkacsy (1846-1900), 1895 *(ill. 1)*.
Huile sur toile (97 x 71,5 cm).
KHM, Vienne - GG 9121

10 Uniforme de campagne de feld-maréchal autrichien, tenue allemande, ayant appartenu à l'empereur François-Joseph
1899

Griffe : A. Uzel & Fils, Vienne (tunique).
Tunique en drap bleu clair à passepoil rouge. Col debout et revers de manche en drap rouge à riche broderie d'or, un galon côtelé posé en vagues et orné d'une feuille d'acanthe marque le grade. Boutons dorés unis.
Pantalon en drap noir à passepoil rouge sur les coutures latérales extérieures. Des deux côtés du passepoil est cousu un galon rouge *(lampas)*.
Manquent le chapeau de général à plumet vert (pour les parades) ou la casquette (pour les manœuvres), l'écharpe de campagne brochée de fils d'or et le sabre.
Porté par l'empereur François-Joseph.
Achat, 1994.
KHM, Vienne - N-CCLX (tunique)

11 Uniforme de campagne de feld-maréchal autrichien, tenue hongroise, porté par l'empereur François-Joseph

Griffes : A. Uzel & fils, Vienne 1914 (tunique). A. Uzel & fils, Vienne 1916, (pantalon).
Tunique *(attila)* en drap bleu clair à

brandebourgs de hussard en passementerie d'or. Riche broderie d'or sur les revers rouges du col et des manches (galon côtelé, posé en vagues ondulées et orné d'une feuille d'acanthe, signe de son grade).
Coutures avec renflements dans le dos, soutenus par entoilage. Ourlet de pourtour et fentes des poches, coutures et pli du dos, bordés de galons en passementerie d'or terminé en boucles.
Pantalon en drap noir à passepoil rouge sur les coutures latérales extérieures. De chaque côté du passepoil, est cousu un galon rouge *(lampas)*.
Manquent le schako à plumet (pour les parades) et la casquette (pour les manœuvres), la ceinture faite de cordons de passementerie dorés et noirs et le sabre.
Acquisition 1983, 1994 *(ill. 38)*.
KHM, MD N-CLXXX, CCLXI
KHM, Vienne - N-CLXXX (tunique 1914) + CCLXI (pantalon 1916)

Sa garde

12 Entrée de la première garde des Arciers dans la cour de la garde du Bas-Belvédère

Tableau de Franz Zeller von Zellenberg (1805-1876), 1868 *(ill. 39)*.
Huile sur toile (95 x 127 cm).
HGM, Vienne, BI 9685

13 Tunique de tenue (garde) de capitaine de la première garde des Arciers
1917

Griffe : bureau des uniformes des officiers et fonctionnaires militaires du ministère impérial et royal de la guerre, Vienne.
Tunique en drap noir, imitation de fourrure rouge sur le col rabattu et sur les revers des manches où de larges galons d'or indiquent le grade. Autour du col, cordonnet en deux parties d'or tressé fermé en

brandebourgs. Boutons dorés avec ornement en relief.
Porté par le général de corps d'armée, le baron Viktor von Dankl, dernier capitaine de la garde nommé en 1917 *(ill. 44)*.
Acquisition 1919.
KHM, Vienne - U992

14 Tenue de cour de capitaine de la première garde des Arciers
1917

Griffe : Neveu de Franz Thill, Vienne. (épaulettes, porte-épée).
Tunique en drap rouge. Col et revers de manche en velours noir. Riche broderie d'or sur le tout le devant, les revers, le bas des manches et en partie au milieu du pan arrière. Boutons dorés avec ornementation en relief.
Épaulettes en passementerie d'or avec le blason autrichien *(Bindenschild)* tenu par des griffons et une riche broderie d'or. Sur chacune, un bouton doré avec l'aigle bicéphale en relief.
Col en tissu blanc raide.
Culotte de cheval en cuir de cerf blanc américain.
Bottes en cuir verni noir. Une paire d'éperons à boucle avec courroies.
Casque en argent orné des armoiries impériales dorées en application et d'un bandeau doré, orné d'écailles, fixé au-dessus et de chaque côté des tempes par une rosette décorée du blason autrichien *(Bindenschild)*. Surmonté d'un aigle bicéphale avec panache de poils de buffle blancs.
Sabre à poignée en bois recouverte de galuchat ligaturé par un fil doré et fixé sur le petit côté par une feuille de métal doré en forme de tête d'aigle. La coquille en métal doré ajouré est orné de deux griffons qui portent un aigle bicéphale. Lame en acier à ornements gravés (l'aigle bicéphale et initiales « FJI » surmontées de la couronne impériale). Fourreau en acier poli avec appliques en métal doré. Courroies en velours rouge et porte-épée tissé d'or.

Bâton de commandement en bois d'ébène. Recouvert d'ivoire, terminé par un embout métallique. Ruban en reps de soie rouge à la poignée. Porté par le général de corps d'armée, le baron Viktor von Dankl, dernier capitaine de la garde nommé en 1917.
Acquisition 1919.
KHM, Vienne, MD U 989

15 Tenue de cour d'officier supérieur (brigadier) de la première garde des Arciers
Vers 1910
Griffes : Neveu de Franz Thill, Vienne (épaulettes).
J. H. Haussmann, Vienne (sabre).
Tunique en drap rouge orné sur le devant et le bas des manches de lourds galons d'or flanqués de glands torsadés d'or. Galons d'or en bordure. Revers de manche en velours noir avec double galon d'or. Boutons dorés avec l'aigle bicéphale en relief. Coutures avec renflements dans le dos.
Épaulettes en passementerie d'or avec le blason autrichien (*Bindenschild*) tenu par des griffons et une riche broderie d'or. Sur chacune, un bouton doré avec l'aigle bicéphale en relief.
Col en tissu blanc, raide.
Culotte de cheval en cuir de cerf blanc américain.
Bottes en cuir verni noir. Une paire d'éperons à boucle avec lanières.
Casque en argent avec armoiries impériales dorées en application et un bandeau doré, orné d'écailles, fixé au-dessus et de chaque côté des tempes par une rosette ornée du blason autrichien. Surmonté d'un aigle bicéphale avec panache en poils de buffle blancs.
Sabre à poignée en bois recouverte de galuchat ligaturé par un fil doré et fixé sur le petit côté par une feuille de métal doré en forme de tête d'aigle. La coquille en métal doré ajouré est ornée de deux griffons qui portent un

aigle bicéphale. Lame en acier à ornements gravés (l'aigle bicéphale et initiales «FJI» surmontées de la couronne impériale). Fourreau en acier poli avec des appliques en métal doré. Courroies ornées de velours noir.
Bâton de commandement en bois d'ébène. Ivoire sur la poignée et la partie basse. L'embout métallique manque. Ruban en reps de soie rouge à la poignée.
Gargousse (*Kartusche*) en tôle d'argent avec armoiries impériales dorées tenues par deux griffons. La courroie, recouverte de velours noir et d'un double galon d'or, est ornée d'une applique dorée faite d'une tête de lion reliée par trois chaînettes à une plaque portant l'aigle bicéphale. Boucles en bronze doré.
Écharpe de campagne en fil d'or à gros pompons d'or.
Porté par Olivier Anelli-Monti von Vallechiara, nommé brigadier de la garde au plus tard en 1913 *(ill. 45)*.
Acquisition 1919.
KHM, Vienne - U 990

16 Tenue de cour de trompette de la première garde des Arciers
Après 1905
Griffe : Neveu de Franz Thill, Vienne (porte-épée).
Tunique en drap rouge, col debout, revers de manche et épaulettes (*nids d'hirondelle*) en velours noir. Galons d'or bombés en bordure, aux coutures verticales et sur les revers en velours. « Nids d'hirondelle » avec franges torsadées en or. Boutons dorés avec l'aigle bicéphale en relief.
Dalmatique de héraut en brocart d'or bordé de galons d'or bombés et franges torsadées en or. Sur la poitrine, l'aigle bicéphale aux armes autrichiennes brodé d'or et de soie multicolore.
Culotte de cheval en cuir de cerf blanc américain.
Bottes en cuir verni noir. Une paire d'éperons à boucle avec lanières.

Sabre à poignée en bois recouvert de galuchat ligaturé d'un fil d'argent, garde d'argent et fort ajourée. Fourreau en acier poli, porte-épée doré orné de soie rouge.
Casque en métal argenté orné des armoiries impériales dorées en application. Un bandeau doré, orné d'écailles, est fixé au-dessus et de chaque côté des tempes à l'aide d'une rosette ornée du blason autrichien (*Bindenschild*). Surmonté d'un aigle bicéphale avec panache de poils de cheval rouges.
Trompette en argent orné de bagues d'or avec ornements en relief (fleurs et cartouches). Cordon tressé : fils d'or et soie rouge. Gland en passementerie d'or à chaque extrêmité *(ill. 112)*.
KHM, Vienne - U991

17 Tenue de cour d'officier de la garde hongroise royale (*Pandur*)
Vers 1910
Tunique (*attila*) en drap rouge à galons, passementerie et brandebourgs en argent. Sur le col debout, étoiles d'argent indiquant le grade. Basques retournées dans le prolongement des coutures et soutenues par entoilage.
Culotte de cheval en drap rouge, à passementerie et galons d'argent.
Bonnet (*kalpak*) en drap vert avec large garniture de putois et orné d'un cordonnet d'or tressé et de glands faits de torsades d'or. Panache de plumes de héron et d'autruche blanches.
Peau de panthère bordée d'une autre fourrure et doublée de soie verte. Yeux de verre, mâchoires, griffes et armoiries appliquées en argent.
Sabre en acier, courbe suivant la tradition de la Hongrie ancienne. La lame est ornée de motifs et de l'aigle bicéphale gravés marquée : *B.W. Ohligs-Haussmann*. Fourreau en cuir noir avec appliques d'argent.
Courroies en cuir vert à galons et

boucles d'argent. Porte-épée tissé d'argent à rayures vertes s'achevant par un gland d'or.

Gargousse (*Kartusche*) en argent sur le couvercle avec l'aigle bicéphale aux armoiries hongroises dorées en application. Courroies en cuir recouvertes de velours vert et de galon d'argent à inclusion tissée d'une bande verte. Applications et chaînette en argent.

Ceinture avec cordonnets de soie verte terminée par des glands faits de torsades d'argent.

Bottes (*csizmen*) en maroquin jaune à galons et passementerie d'argent. Éperons d'acier *(ill. 47)*.

Acquisition 1938.

KHM, Vienne - U 1012

18 Tenue de cour d'aspirant-brigadier de la garde des Trabans
Vers 1910

Griffe : Neveu de Franz Thill, Vienne (épaulettes).

Tunique en drap rouge à passepoil noir, col debout en drap noir, revers de manche et grand plastron en velours noir. Plastron, col et revers de manche ornés de galons d'or. Sur la manche gauche galon d'or indiquant le grade. Boutons unis dorés.

Épaulettes en métal doré à minces franges torsadées en or. Sur le plat, l'aigle bicéphale en métal.

Culotte de cheval en cuir de cerf blanc américain.

Bottes en cuir verni noir.

Casque à pointe en tôle d'acier emboutie recouverte d'émail noir avec, en application, l'aigle bicéphale doré. Bandeaux dorés, ornés d'écailles, fixés au-dessus et de chaque côté des tempes par un médaillon à tête de lion. Panache de poils de buffle blancs.

Épée à lame d'acier simple et garde en forme de S avec l'aigle bicéphale en relief, clavier ajouré, poignée nervurée terminée en pommeau par la couronne impériale autrichienne.

L'épée pend à une ceinture en cuir avec fermeture en bronze doré ajourée montrant deux aigles bicéphale et les initiales «FJI». Porte-épée en or avec gland et torsades d'or *(ill. 46)*.

Acquisition 1938.

KHM, Vienne, MD U 1011, U 997

19 Tenue de cour de la garde de la compagnie d'infanterie, dite « gendarmes du Burg »
Après 1905

Tunique en drap vert foncé à revers rouge au col et aux manches, et passepoil rouge. Boutons en laiton uni. Au col, trois étoiles en soie blanche avec paillettes argentées et deux galons jaunes. Sur la manche gauche, quatre galons d'or indiquant le grade.

Épaulettes en métal doré. Sur les plats, l'aigle bicéphale en métal appliqué. Sans franges.

Pantalon en drap vert foncé à passepoil rouge.

Casque à pointe en tôle d'acier emboutie recouverte d'émail noir avec en application l'aigle bicéphale doré. Bandeau doré, orné d'écailles fixé au-dessus et de chaque côté des tempes à l'aide d'un médaillon à tête de lion. Panache de poils de cheval noir.

Fourragère faite de longues tresses en fils de nickel, pointes en laiton.

Acquisition 1938.

KHM, MD 1010, U 998), N-XLII U 1011, U997

Ordres et distinctions

20 Remise de l'ordre de la Toison d'or à deux jeunes archiducs à l'occasion du 400e anniversaire de la fondation de l'ordre

Le 22 mai 1830, dans la salle des cérémonies de la Hofburg de Vienne, l'empereur François Ier, en sa qualité de souverain de l'ordre, passe au cou des deux jeunes archiducs – Albert né en 1817, futur feld-maréchal, et

Étienne, né en 1817, futur palatin de Hongrie – les collanes, signe de leur admission dans l'ordre. Lithographie de Franz Wolf d'après Johann Baptist Hœchle (1854-1832), 1830 *(cat. 99)*.

Papier (77 x 57,5 cm).

KHM, Vienne - Z - 11 / 2

21 Costume de chevalier de l'ordre de la Toison d'or
Vienne, premier tiers du XIXe siècle

Manteau en velours rouge carmin doublé et bordé de satin blanc. Riche broderie d'or (emblèmes de l'ordre : fer et pierre à feu desquels jaillissent des étincelles et peau de bélier). Sur le liseré blanc en broderie d'or la devise de Charles le Téméraire *« Je l'ai emprins »*. Ce manteau à traîne est largement coupé avec un drapé sur l'épaule droite.

Vêtement de dessous en velours rouge écarlate doublé de soie blanche.

Chaperon de même velours que le manteau richement brodée d'or. Le ruban de velours (*cornette*) de 1,65 m de long, fixé à la coiffure, retombe sur le côté gauche.

Porté par l'empereur Ferdinand Ier *(ill. 48, 49)*.

Prêt de l'Ordre.

KHM, Vienne - MD TO

22 Costume de chevalier grand-croix de l'ordre hongrois de Saint-Étienne
Vienne, vers 1764

Manteau en velours vert, bordé d'une imitation d'hermine et d'une broderie d'or à guirlande de feuilles de chêne. Doublure en soie rouge.

Col en même velours, doublé et orné comme le manteau d'imitation d'hermine. Au centre, broderie d'or et d'argent représentant la grande croix.

Vêtement de dessous (*scapulaire*) en velours rouge carmin couvert de guirlandes de feuilles de chêne brodées d'or.

Coiffure hongroise (*kalpak*) en même velours avec broderie d'or à feuilles de chêne et large garniture d'imitation d'hermine. Au-dessus du front, plume de héron blanche.

Les bas en soie rouges, les chaussures en velours vert brodées d'or et les gants en cuir blanc n'ont pas été conservés *(ill. 50, 51)*.
KHM, Vienne - MD O 218

23 Costume de chevalier grand-croix de l'ordre autrichien de Leopold
Vienne, 1808

Dessiné par Joseph Fischer (1769-1722), graveur de la Chambre et décorateur.

Manteau à traîne en reps de soie blanc doublé de taffetas blanc et bordé d'une imitation d'hermine. En bordure, broderie d'or à guirlande de feuilles de chêne et couronne impériale autrichienne.

Col en imitation d'hermine, brodé de la grande croix *(crachard)* et fermé par une cordelette d'or à deux pompons.

Tunique en velours rouge clair. En bordure, broderie d'or à feuilles de chêne. Collerette blanche en dentelle de tulle.

Culotte en même velours. Pattes d'attache brodées d'or à feuilles de chêne.

Barette en même velours entourée d'un triple cordonnet d'or avec plumes d'autruche blanches.

Écharpe en soie blanche à franges torsadées en or.

Épée avec fourreau en velours, tous deux décorés d'appliques de bronze doré. Sur le bouton plat, les initiales « FIA » *(Franciscus Imperator Austriae)*.

Ceinture avec porte-épée.

Les bas de soie rouges, les chaussures de velours rouges avec des rosettes dorées et les gants en cuir blanc n'ont pas été conservés *(ill. 54)*.
KHM, Vienne - MD O 116

24 Fondation de l'ordre impérial autrichien de Léopold par l'empereur François Ier en présence des chevaliers de la Toison d'or et de l'ordre de Saint-Étienne dans la nouvelle salle des cérémonies de la Hofburg

Lithographie de Franz Wolf d'après Johann Baptist Hœchle (1754-1832), 1808 *(ill. 55)*.
Papier (51 x 42,5 cm).
KHM, Vienne - Z - 15 / 4

25 Costume de chevalier de Ière classe de l'ordre autrichien de la Couronne de fer
Vienne, 1815-1816

Dessiné par Philipp von Stubenrauch (1784-1848), régisseur des costumes du Hoftheater [Théâtre de la cour]

Manteau à traîne en velours violet doublé de soie blanche. En bordure, broderie d'argent à couronne de fer de Lombardie avec entrelacs de palmes et de branches de laurier, couronnes de feuilles de chêne et lettres détachées constituant la devise de l'ordre : *Avita et aucta*. Sur la poitrine, l'étoile brodée *(crachard)* de Ière classe.

Col en même velours à riche broderie d'argent.

Tunique en velours orange à broderie d'argent, fermée par un cordonnet d'argent à gland. Doublure en satin blanc. Collerette à double volant de dentelle blanche.

Bas en soie tricotée blanche.

Barette en velours violet à broderie d'argent, cordon d'argent et plume d'autruche blanche.

Ceinture d'épée et sabretache recouverts de velours violet brodé d'argent.

Épée dans son fourreau en velours. Sur la poignée, les initiales « FP » *(Franciscus Primus)* et l'année 1815.

Chaussures en velours blanc ornées de nœuds en satin bleu à franges torsadées en argent.

Gants en chevreau glacé blancs, les crispins ornés d'une guirlande de feuilles de laurier en broderie d'argent peinte *(ill. 56, 57)*.
KHM, Vienne - MD O 3

26 Manteau de prestation de serment de haut dignitaire de la cour
1902

Long manteau en drap rouge, en forme de cape à col debout et col couvrant les épaules. Sur les deux cols, fine broderie d'or (guirlandes et fleurs). Fermé par deux cordelettes d'or avec ruban et olive *(ill. 59)*.
Provenant de la chambre du trésor.
KHM, Vienne - N-LXXXIII

Chambellans et conseillers privés

27 Grand uniforme de gala de chambellan impérial et royal
Après 1893

Griffes : Habig, Vienne (bicorne).

Habit en drap noir à riche broderie d'or pur à guirlande de feuilles de chêne et de laurier, grandes palmettes. Col et revers de manche en velours noir brodé. Boutons dorés avec l'aigle bicéphale appliqué. Sur le rabat de la poche droite, nœud pour la clé de chambellan.

Pantalon en drap noir avec double galon *(lampas)* d'or.

Épée en acier poli. Poignée dorée au feu avec les initiales « FJI » (face avant) et l'inscription « *Viribus Unitis* » (face arrière), recouverte en son milieu de nacre. Pommeau en forme de tête de lion. Sur le clavier, l'aigle impérial bicéphale. Lame marquée « Solingen ». Fourreau en cuir noir avec appliques de métal doré.

Bicorne en peluche de soie noire à plumes d'autruche blanches, orné de torsades d'or et d'un bouton doré avec l'aigle bicéphale. Bordé d'un ruban de moire noir.

Porté par le comte Paul Ludwig Forni (1849-1925), nommé chambellan impérial et royal en 1893 *(ill. 60)*.
Acquisition provenant d'une collection privée, 1994.

*KHM, Vienne, MD N-CCXLVII, CCXLIX,
CCL, CCLI, CLXXI*

28 Grand uniforme de gala de conseiller privé royal et impérial
Vers 1910
Griffes : A. Uzel & fils, Vienne
(habit). Johann Pichler, Vienne
(bicorne).
Habit en drap noir à riche broderie
d'or pur (guirlande de feuilles de
chêne et de laurier, grandes
palmettes). Col et revers de manche
en velours, brodé. Boutons dorés
avec l'aigle bicéphale appliqué.
Pantalon en drap noir à double
galon (*lampas*) d'or.
Épée en acier poli. Poignée dorée au
feu, recouverte en son milieu de
nacre. En application, les initiales
« FJI » avec la couronne impériale.
Sur le clavier, l'aigle impérial
bicéphale. Lame marquée
« Solingen ». Fourreau en cuir noir
avec appliques de métal doré.
Bicorne en peluche de soie noir à
plumes d'autruche blanches orné de
torsades d'or et d'un bouton doré
avec l'aigle bicéphale. Bordé d'un
ruban en moire noir *(ill. 61)*.
Échange 1932.
KHM, Vienne - U 979

29 Petit uniforme de gala de conseiller privé impérial et royal
Vers 1910
Griffes : A. Uzel & fils, Vienne
(habit), Moritz Tiller & Co., Vienne
(bicorne).
Habit en drap noir à broderie d'or
sur le col, les revers de manche, les
rabats de poche et l'arrière de la taille
(guirlande de feuilles de chêne et de
laurier, palmettes). Col et revers de
manche en velours. Boutons dorés
ornés de l'aigle bicéphale appliqué.
Pantalon en drap noir à double
galon d'or.
Bicorne en peluche de soie noir à
plumes d'autruche noires. Décoré de
torsades d'or et d'un bouton doré
avec l'aigle bicéphale. Bordé d'un

ruban de moire noir.
Épée en acier poli. Poignée dorée au
feu avec les initiales « FJI » (face
avant) et l'inscription « *Viribus
Unitis* » (face arrière), recouverte en
son milieu de nacre. Pommeau en
forme de tête de lion. Sur le clavier,
l'aigle impérial bicéphale. Lame
marquée « Solingen ». Fourreau en
cuir noir avec appliques de métal
doré.
Échange 1932.
KHM, Vienne - U980

30 Grand uniforme de gala de conseiller privé impérial et royal, tenue hongroise
Vers 1915
Griffe : Maxwell, Londres (bottes).
Tunique en drap noir à riche
broderie d'or (guirlandes de feuilles
de chêne et de laurier, grandes
palmettes), col de vison, garniture de
vison et brandebourgs d'or.
Tunique de dessous en drap noir à
riche broderie d'or (guirlandes de
feuilles de chêne et de laurier,
grandes palmettes) et brandebourgs
en passementerie d'or. Au dos,
coutures avec renflement.
Culotte de cheval en drap noir à
riche broderie d'or (deux guirlandes
de feuilles de chêne, de laurier et de
palmettes flanquent des galons dorés
tressés).
Kalpak en velours de soie noir à
riche broderie d'or (motif de
palmettes), tresse et glands d'or, large
garniture de vison. Plumes de
vautour et d'autruche noires prises
dans un fourreau métallique plaqué
d'or.
Ceinture en fils d'or tressés.
Baudrier : chaînette d'or tressée.
Bottes en cuir noir verni avec nœud
de passementerie dorée. Éperons avec
motif en relief.
Porté par Stefan Bárczy von
Bárcziháza *(ill. 62, 63)*.
Acquisition 1965.
KHM, Vienne - N-CXXVII

III - Les corps d'état

Ministres et conseillers

31 Le comte Julius von Falkenhayn en uniforme de gala de ministre impérial et royal
Le comte Julius von Falkenhayn
(1829-1899), député très
conservateur représentant des grands
propriétaires fonciers, fut ministre de
l'Agriculture de Cisleithanie, de
1879 à 1895. Il fut chancelier (cf. le
pendentif) à partir de 1897 et grand-
croix de l'ordre austro-impérial de
Leopold, chevalier de l'ordre de la
Couronne de fer de Ière classe et
grand-croix de l'ordre civil Toscan.
Tableau de Viktor Stauffer
(1852-1934), vers 1898 *(ill. 19)*.
Huile sur toile (150 x 100 cm).
Galerie autrichienne, Vienne - Inv : 6087

32 Uniforme de gala de ministre impérial et royal
Vers 1898
Tunique en drap vert foncé bordée
d'un passepoil rouge. Col et revers de
manche en velours rouge à riche
broderie d'or (motif de guirlandes).
Boutons dorés avec l'aigle bicéphale
appliqué.
Pantalon en drap vert foncé à galon
d'or.
Bicorne en peluche de soie noir à
plumes d'autruche blanches orné de
torsades d'or et d'un bouton doré
avec l'aigle bicéphale. Bordé d'un
ruban de moire noir.
À l'intérieur, monogramme : « MK ».
Sabre en acier poli. Poignée en bois
recouverte de galuchat ligaturé de fil
doré et fixé sur le petit côté par une
feuille de métal doré ornée
d'arabesques. Coquille en métal doré
ajouré, ornée d'arabesques et de
l'aigle bicéphale. Fourreau en bois
recouvert de cuir noir avec appliques
de métal doré à relief (arabesques et
monogramme « FJI » surmonté d'une
couronne). L'arme se porte sous la
tunique fixée à une courroie en cuir.

Porté par le baron Michael Kast (1859-1932), nommé ministre de l'Agriculture en 1898.

Acquisition provenant d'une collection privée, 1982.

KHM, Vienne, MD N-CLXII, U 982

33 Uniforme de campagne de ministre royal et impérial (ou de président du Conseil)
Vers 1910

Tunique flottante en drap noir à passepoil rouge aux revers des manches et épaulettes en velours brodées d'or. Boutons dorés avec l'aigle bicéphale appliqué.

Gilet en drap noir à boutons ornés de l'aigle bicéphale.

Pantalon en drap gris.

Échange 1932.

KHM, Vienne - U 984

34 Uniforme de gala de conseiller ministériel au ministère du Commerce
Vers 1907

Griffe : Wilhelm Skarda, Vienne (tunique et bicorne).

Tunique en drap noir bordée d'un passepoil orange. Sur le col debout et les revers de manche, applications de velours orange et larges tresses d'or. De chaque côté du col deux rosettes. Boutons dorés avec l'aigle bicéphale en relief.

Pantalon en drap noir à passepoil de velours orange et double galon d'or.

Bicorne en peluche de soie noire à plumes d'autruche noires. Orné de torsades d'or et d'un bouton doré avec l'aigle bicéphale. Bordé d'un ruban de moire noire.

Sabre en acier poli. Poignée en bois recouverte de galuchat ligaturé de fil doré et fixé sur le petit côté par une feuille de métal doré ornée d'arabesques. Coquille en métal doré ajouré, ornée d'arabesques et de l'aigle bicéphale. Fourreau en bois recouvert de cuir noir avec appliques de métal doré à relief (arabesques et monogramme « FJI » surmonté d'une

couronne). L'arme se porte sous la tunique fixée à une courroie en cuir. Porté par le baron Florian von Baumgartner, conseiller ministériel au ministère du Commerce à partir de 1907.

Donation provenant d'une collection privée, 1954.

KHM, MD N-XXXIX

35 Uniforme de gala de conseiller ministériel au ministère des Affaires étrangères
Vers 1910

Griffe : Moritz Tiller & Co., Vienne (bicorne).

Habit en drap noir à riche broderie d'or (guirlandes de feuilles). Col et revers de manche en velours. Boutons dorés avec l'aigle bicéphale appliqué.

Pantalon en drap noir avec un galon d'or.

Bicorne en peluche de soie noire à plumes d'autruche noires. Orné de torsades d'or et d'un bouton doré avec l'aigle bicéphale. Bordé d'un ruban de moire noire.

Épée en acier poli. Poignée dorée à pommeau orné de feuilles de chêne et clavier uni. Fourreau en cuir noir avec appliques de métal doré *(ill. 64).*

Acquisition 1931.

KHM, Vienne - U 988

Fonctionnaires et diplomates

36 Uniforme de gala de directeur de cabinet
Vers 1910

Griffes : A. Uzel & fils, Vienne (habit). Neveu de Franz Thill, Vienne (bicorne).

Habit en drap noir à riche broderie d'or (guirlandes de feuilles de chêne et galons dentelés). Col et revers de manche en velours noir brodé. Boutons dorés à monogramme en relief « FJI » dans une couronne de laurier.

Pantalon en drap noir avec double galon d'or.

Bicorne en peluche de soie noire à

plumes d'autruche noires. Orné de torsades d'or et d'un bouton doré à monogramme « FJI » dans une couronne de laurier. Bordé d'un ruban de moire noire.

Épée en acier poli. Poignée dorée au feu, recouverte en son milieu de nacre. Sur le clavier ajouré, le monogramme « FJI » dans une couronne de laurier. Fourreau en cuir noir avec appliques de métal doré *(ill. 65).*

Échange 1932.

KHM, Vienne - U 981

37 Le baron Joseph Alexander von Hübner en uniforme de gala d'ambassadeur impérial et royal

Le baron Joseph Alexander von Hübner (1811-1892), comte en 1888, porte sur son grand uniforme de gala d'ambassadeur royal et impérial les collanes et les étoiles de grand-croix de l'ordre de Leopold et de l'ordre de la Couronne de fer, ainsi que l'écharpe et l'étoile de grand-croix de l'ordre pontifical de Pie IX. Hübner fut l'un des plus importants hommes d'Etat conservateurs de la monarchie et occupa le poste d'ambassadeur auprès du Saint Siège jusqu'en 1867. Tableau de Carl von Blaas (1815-1894), 1878 *(ill. 68).*

Huile sur toile (100 x 75 cm).

KHM, Vienne - GG 9809

38 Petit uniforme de gala d'ambassadeur impérial et royal (grand uniforme de gala de ministre plénipotentiaire)
Vers 1910

Griffes : A. Uzel & fils, Vienne (habit). Joh. Blazincic & ses fils, Vienne (Bicorne).

Habit en drap noir à riche broderie d'or (entrelacs de guirlandes de feuilles). Col et revers de manche en velours noir brodé. Boutons dorés avec l'aigle bicéphale appliqué.

Pantalon en drap noir avec double galon d'or.

Bicorne en peluche de soie noire à plumes d'autruche noires. Orné de torsades d'or et d'un bouton doré avec l'aigle bicéphale. Bordé d'un ruban de moire noire.
Épée en acier poli. Poignée dorée au feu avec les initiales « FJI » (face avant) et l'inscription « *Viribus Unitis* » (face arrière), recouverte en son milieu de nacre. Pommeau en forme de tête de lion. Sur le clavier, l'aigle impérial bicéphale. Lame marquée « Solingen ». Fourreau en cuir noir avec appliques de métal doré *(ill. 67, 68, 69)*.
Échange 1932.
KHM, Vienne - U 977

39 Petit uniforme de gala de ministre plénipotentiaire impérial et royal
1918
Griffes : A. Uzel & fils, Vienne. Neveu de Franz Thill, Vienne, (habit). Monogramme « FW » avec couronne à cinq branches (bicorne).
Habit en drap noir à riche broderie sur le col, les revers de manche, les rabats de poche et l'arrière de la taille (guirlandes de feuilles). Col et revers de manche en velours noir brodé. Boutons dorés avec l'aigle bicéphale appliqué.
Pantalon en drap noir à double galon d'or.
Bicorne en peluche de soie noire à plumes d'autruche noires. Orné de torsades d'or et d'un bouton doré avec l'aigle bicéphale. Bordé d'un ruban de moire noire.
Épée en acier poli. Garde dorée au feu avec le monogramme « FJI » et la couronne impériale appliqué. Sur le clavier, l'aigle impérial bicéphale. Lame marquée « Solingen ». Fourreau en cuir noir avec appliques de métal doré. Probablement confectionné à l'intention de Friedrich von Wiesner, chevalier, ministre plénipotentiaire.
Échange 1932.
KHM, Vienne - U 978

40 Uniforme de gala de consul général de 2e classe
Vers 1910
Griffes : Moritz Tiller & Co., Vienne (habit, bicorne).
Habit en drap noir à broderie d'or sur le col, les revers de manche, les rabats de poche et l'arrière de la taille (guirlandes de feuilles de chêne et galons dentelés). Col et revers de manche en velours noirs brodés. Au-dessus des revers de manche, trois petites étoiles en passementerie. Boutons dorés avec l'aigle bicéphale appliqué.
Pantalon en drap noir à galon d'or.
Bicorne en peluche de soie noir à plumes d'autruche noires. Orné de torsades d'or et d'un bouton doré à l'aigle bicéphale. Bordé d'un ruban de moire noir.
Épée en acier poli. Poignée dorée au feu, avec les initiales « FJI » (face avant) et l'inscription « *Viribus Unitis* » (face arrière), recouverte en son milieu de nacre. Pommeau en forme de tête de lion. Sur le clavier, l'aigle impérial bicéphale. Lame marquée « Solingen ». Fourreau en cuir noir avec appliques de métal doré.
Acquisition provenant d'une collection privée, 1986.
KHM, Vienne - N - CCI + U 1005

IV - Uniformes d'Etats provinciaux et costumes régionaux de cour

41 Uniforme de gala de noble et membre de la diète du Tyrol
Première moitié du XIXᵉ siècle
Habit en drap rouge à passepoil blanc. Col debout et revers de manche en velours vert à riches broderies d'or (guirlande de laurier et galon d'or entrelacés). Basques repliées, permettant de voir la doublure en drap blanc, fixées par l'aigle tyrolien de passementerie. Les boutons dorés dentelés portent une représentation en relief de l'aigle

tyrolien dans une couronne de laurier.
Épaulettes en passementerie et en torsades d'or. Sur la partie supérieure, l'aigle tyrolien brodé avec le monogramme « F » (François Iᵉʳ) sur le blason.
Pantalon en drap blanc à simple galon d'or.
Bicorne en peluche de soie noire à plumes d'autruche noires. Décoré de torsades d'or et d'un bouton doré aux initiales « FI ». Bordé d'un ruban de moire noire. À chaque pointe, un gland fait de torsades dorées et rouges.
Porte-épée, galon d'or incrusté de rouge. Gland au monogramme « FI » et l'aigle impérial.
Probablement porté par le baron Karl Sternbach (1801-1848) *(ill. 33)*.
Acquisition provenant d'une collection privée, 1950.
KHM, Vienne - N-LXXXII, ill 103

42 Uniforme de gala de membre de la diète de Basse-Autriche
Vers 1820
Habit en drap rouge, col debout et revers de manche en velours bleu. Riche broderie d'argent (entrelacs de feuilles et feuilles de vigne) sur le devant, les basques et les revers du col et des manches. Boutons d'argent avec les armoiries de Basse-Autriche dans une couronne de laurier couronnées du chapeau archiducal d'Autriche.
Porté par un membre de la famille princière des Liechtenstein *(ill. 36)*.
Prêt des collections de la principauté de Liechtenstein, Vienne-Vaduz.
KHM, Vienne - Dp 10

43 Costume de fête de magnat de Transylvanie
1895
Manteau (*mente*) en velours de soie violet. Devant doublé en brocart de satin, le dos de satin jaune. Riche broderie d'or ornée de galons d'or et de boutons de passementerie d'or.
Culotte de cheval, tricot gris à patte

bridée de galons d'or.

Cravate en soie blanche avec dentelle d'or au crochet.

Baudrier pour l'épée manquante, en passementerie d'or avec fermeture et deux glands.

Coiffure (*kucsma*) en velours de soie violet doublé de satin noir orné d'une résille d'or et d'un bouton en or. Porté en 1896 à Budapest par le baron Georg Sztojánovits de Latzunás (1864-1922), à l'occasion des fêtes du millénaire de la Hongrie *(ill. 71)*.

Acquisition provenant d'une collection privée, 1954.

KHM, Vienne - N-XXXVIII

44   Costume de fête de magnat hongrois

Hongrie, vers 1860-1870

Manteau (*mente*) en velours de soie bleu doublé de soie bleue, avec brandebourgs, col bordé de martre, galons et cordonnets en passementerie d'or, boutons ornés de turquoises.

Tunique (*dolman*) à col debout en brocart de soie couleur champagne avec guirlandes de fleurs multicolores. Galons et cordonnets en passementerie d'or, boutons ornés de turquoises.

Culotte de cheval en lainage lie de vin à passementerie d'or.

Bottes (*csizmen*) en cuir jaune.

Coiffure (*kucsma*) en velours de soie bleu avec galon de passementerie d'or et bordée de fourrure. Agrafe d'argent doré ornée de turquoises. Plume de héron blanche.

Baudrier en passementerie d'or avec deux carabines dorées.

Sabre et fourreau ornés de pierres blanches et vertes ; le fourreau est recouvert de velours bleu.

Porté par Stephan Ier Mailáth von Székehelyi (1833-1903), burgrave de Bar, et son fils Stefan II Mailáth von Székehelyi (1865-1940) *(ill. 72, 73)*.

Donation 1961.

KHM, Vienne N-CXVII + N-XXIX

45   Costume de fête de magnat hongrois

Hongrie, vers 1865

Manteau (*mente*) en velours lie de vin à col et bordure en zibeline ; galons et cordonnets en passementerie d'or. Coutures avec renflements dans le dos, soutenus par entoilage. Boutons d'argent émaillés et dorés, ornés de turquoises et de nacre.

Tunique de gala (*dolman*) à col debout en brocart vieux rose à guirlandes de fleurs ; galons et cordonnets en passementerie d'or et petits boutons d'argent ornés de turquoises et de nacre.

Culotte de cheval en tricot de soie lie de vin orné de passementerie d'or.

Coiffure (*kucsma*) en velours lie de vin orné de zibeline. Agrafe d'argent émaillé et doré ornée de turquoises et nacre avec une plume de héron blanche.

Ceinture en velours rouge ornée d'un travail d'argent émaillé et doré, turquoises et nacre.

Cravate en soie noire à franges d'or. Probablement porté par Alexander, Erös de Bethlenfalva, (chambellan à partir de 1865) qui, vraisemblablement, fit faire ce vêtement à l'occasion du couronnement de 1867. La dernière personne à le porter fut Geza, Erös de Bethlenfalva. (ill. 70)

Acquisition provenant d'une collection privée, 1982.

KHM, Vienne - N - CLVIII

46   Traîne de robe de cour
1867

Traîne faite de cinq lès en velours bleu. En bordure broderie d'or allant s'élargissant (motifs stylisés de tulipes et arabesques) doublée en soie bleu. (3,40 x 2 m).

Les traînes de cour - fixées à la taille - se portaient sur la robe. Portée lors du couronnement de Budapest en 1867 par la baronne Marie Wenckheim, qui deviendra plus tard comtesse Lamberg (1848-1900).

Acquisition provenant d'une collection privée, 1953.

KHM, Vienne - N-XXXVI

47   Traîne de robe de cour
1867

Traîne faite de cinq lès en soie rouge. En bordure broderie d'or et d'argent allant s'élargissant (motifs stylisés de tulipes), doublée en soie rouge. (3,40 x 1,94 m).

Portée lors de la cérémonie du couronnement de Budapest en 1867 par la baronne Fanny Wenckheim, née comtesse Szápary (1825-1891) *(ill. 75)*.

Acquisition provenant d'une collection privée, 1953.

KHM, Vienne -N-XXXV

48   Robe de gala hongroise
1867

Griffe : G. E. Spitzer, Vienne.

Robe en velours de soie turquoise, à fil d'argent, à galon métallique, bouillonné, brodé de paillettes. Doublée en soie blanche. Le plastron est fait d'un plissé de dentelle en fil de soie ivoire, manche en tulle blanc.

Corsage baleiné à pointe devant et derrière, lacé et agrafé dans le dos. Une broderie d'argent à décor de volutes, de feuilles de vigne et d'épis de blé entrelacés encadre le large décolleté.

Jupe à traîne. Son décor brodé reprend celui du corsage en plus grand et complété d'œillets et de palmettes avec feuilles.

Coiffe en tulle maintenue par un fil métallique, bordée de velours et garnie sur la nuque, de bouquets noués.

Cordon de taille blanc portant la griffe brodée jaune entre deux blasons « *G.E. Spitzer, Wien* » Réalisée pour le sacre de François-Joseph en 1867, portée lors du sacre de Charles Ier en 1916 par la comtesse Gabriella Széchenyi. Remise à la taille en 1896 pour le millénaire de la Hongrie et peut-être en 1916.

Provenance : don des princes
Windischgraetz
Voile et tablier
Avant 1830
Tulle mécanique en soie blanche
brodé d'argent. Tablier parsemé de
feuilles minuscules, à bordures
chantournées et ornées de bouquets
de fleurs sur des rameaux feuillus. En
bas, une rangée de rinceaux fleuris en
spirale. Même dessin sur le voile
avec, aux deux extrémités, une
double rangée de fleurs en spirale.
Accessoires de la robe de gala de
Maria Bajzath pour le sacre de
Ferdinand Ier d'Autriche à Pozsony
(Presbourg, Bratislava) en 1830.
La robe de gala hongroise était
toujours accompagnée d'un voile et
d'un tablier. Matériau et décor
variaient selon les occasions. Les
broderies d'or et d'argent furent à la
mode du XVIIIe au XXe siècles *(ill. 76)*.
Acquis de Mme Daniel Csapo.
MNM, Budapest - T.1973.309, 1952.84

La robe de gala hongroise tire ses
origines des robes de la Renaissance
italienne. Initialement, le corsage,
attaché devant par un ruban, se
portait sur le corset-chemise. À partir
du XIXe siècle, il fut plastronné et la
manche réunie au corset. Ce type
caractérisa les robes de gala
hongroises jusqu'au XXe siècle. Au
début du XIXe siècle, la jupe se
terminait en traîne pour les grandes
cérémonies de l'Etat. La coiffure
illustrait le statut matrimonial des
femmes : le diadème était réservé aux
jeunes filles, la coiffe aux femmes
mariées. Au XIXe siècle, cette
tradition se limita aux robes de gala
de l'aristocratie, le plus souvent
confectionnées avec les deux types de
coiffure. Tablier et voile font partie
intégrante de la robe de gala. Ces
pièces ont toujours été portées par
l'aristocratie.

II - La cour de la maison d'Autriche

1 - L'empereur et l'impératrice

49 Costume de chasse (*Ausserfragant*) de l'empereur François-Joseph
Vers 1880-1890
Griffes : Frank Bubacek, Vienne
(veste de chasse) Ferdinand Ebert,
Vienne (cravate). L. Hofmann,
Vienne (chapeau).
Veste de chasse (*joppe*) en loden gris
à passepoil vert, col à revers vert.
Cordonnet gris avec glands et
boutons en corne de cerf.
Culotte en poil de chameau gris.
Gilet en toile de lin brun olive à
passepoil vert.
Cravate à motif régional rouge et
jaune.
Guêtres en cuir de cerf couleur
naturelle avec boutons en cuir.
Chaussures à lacets en cuir noir,
tige haute, semelles à clous.
Gants en cuir de daim gris à boutons
de nacre.
Chapeau en loden marron à ganse et
galon marron ; touffe de poils de
chamois et demi-plumet en plumes
de coq de bruyère, porté par
l'empereur François-Joseph *(ill. 43)*.
Acquisition 1937.
KHM, Vienne - HJRK A 2213

50 Promenade de l'empereur François-Joseph Ier avec sa fiancée la princesse Élisabeth
Le 21 août 1853, jour de leurs
fiançailles, le couple traverse une
vallée près de Bad Ischl. Le comte
Grünne, grand écuyer et aide de
camp de l'empereur, conduit la
voiture. L'attelage de six chevaux pie,
quatre chevaux à l'avant et deux au
timon, est très difficile à conduire.
Tableau d'un peintre inconnu,
vers 1855. *(ill. 86)*
Huile sur toile (72 x 93 cm).
KHM, Vienne - WGBG Z-37

51 Robe de veille de noces de la princesse Élisabeth en Bavière
1854
Corsage en taffetas blanc recouvert
d'organdi, à grand décolleté et
manches courtes. Sur le décolleté et
les manches, deux rangs de ruches
ornées de rubans en soie verte cousus
au fil d'or. Délicate broderie de soie
verte et or plat (fleurs et feuilles,
semis d'étoiles).
Deux jupes en organdi superposées.
La première à petite traîne est ornée
devant de bouillonnés et en bas, de
onze rangs de ruches bordées d'un
galon de soie verte. La deuxième,
ouverte sur les bouillonnés, la
recouvre jusqu'aux ruches. Elle est
bordée d'un ruban de soie verte et
richement brodé de soie verte et d'or
(calligraphie arabe entre des
guirlandes de fleurs et de feuilles, et
semis d'étoiles).
Étole en organdi bordée d'une
broderie en soie verte et or (même
décor) et à chaque extrémités
bouquets de fleurs et étoiles,
portée par la princesse Élisabeth en
Bavière avant de devenir impératrice
(ill. 106).
*Acquisition provenant d'une collection privée,
1971.*
KHM, Vienne - N - CXL

52 Traîne de cour de la robe de mariée de l'impératrice Élisabeth
1854
Traîne de cour en reps de soie de
couleur crème avec riche et fine
broderie d'or (feuilles de fraisier et
fruits), largement bordée de tulle
brodé d'or et de trois rangs d'étroits
rubans de tulle eux aussi brodé d'or.
Fixée à la taille, sur la robe.
Selon la tradition familiale, la
princesse Élisabeth en Bavière portait
cette traîne le jour de son mariage
avec l'empereur François-Joseph, le
24 septembre 1854 *(ill. 107)*.
*Acquisition provenant d'une collection privée,
1989.*
KHM, Vienne - N-CCVII

53 L'impératrice Élisabeth en grande robe de bal

L'impératrice porte une robe de bal griffée Charles F. Worth, en satin et en tulle blancs brodée de lames d'or. Elle tient un éventail et une étole. Les étoiles en brillants qui ornent ses cheveux sont de Köchert, joaillier de la cour. À partir du milieu des années 1850, deux belles princesses, l'impératrice Eugénie et l'impératrice Élisabeth furent à la pointe de la mode. On appela plus tard cette période viennoise « le second rococo ». Réplique d'atelier du tableau de Franz Xaver Winterhalter (1805-1873), 1865 *(ill. 105)*.
Huile sur toile (255 x 155 cm).
KHM, Vienne - GG 7099

54 Robe du soir, ayant probablement appartenu à l'impératrice et reine Élisabeth
Après 1877, transformée en 1898-1899.
Griffe : Fanny Scheiner, Vienne.
Corsage en satin coquille d'œuf à grand décolleté en forme de cœur. Sur la poitrine, empiècement en V, de velours rose orné de tulle brodé (myosotis). Une dentelle en tulle borde le décolleté et se termine en pans de chaque côté. Manches trois-quarts en baptiste blanche ornées de garnitures de dentelle en tulle et soie. Même broderie que sur le devant de la jupe. Manches terminées d'une ruche en dentelle de tulle.
Jupe en même matériau à petite traîne. Le devant est recouvert au milieu de tulle de soie orné d'une broderie multicolore (fleurs et feuilles en soie, chenille, fil d'or et d'argent et feuilles peintes). Vers le bas, la broderie s'agrandit et se densifie. Une surjupe unie bordée de dentelle en tulle brodée de lames d'argent et de soie et d'une dentelle à fil d'or. Robe probablement portée par l'impératrice Élisabeth d'Autriche.
Acquisition 1962.
KHM, Vienne - N-CXXIV,

55 Robe de cérémonie probablement portée par l'impératrice et reine Élisabeth
Années 1880
Griffe : G. & E. Spitzer, Vienne.
Corsage en brocart écru, encolure en V, manches trois-quarts, resserré à la taille, terminé en pointes. Ultérieurement transformé.
Jupe en brocart écru à tournure et à traîne. Étroite devant, avec un double tablier en tulle de couleur écrue, orné d'une riche broderie de perles et bordé d'un plissé *(ill. 111)*.
HMS, Vienne - M. 11. 604

56 Robe de deuil d'Élisabeth, impératrice d'Autriche et reine de Hongrie
Après 1877
Griffe : Fanny Scheiner, Vienne.
Corsage baleiné en satin de soie noir moiré, fermé devant par des boutons demi-sphériques ornés de jais. Pélerine en tulle ornée d'une résille en rosette de jais. Manchettes en dentelle ornée de jais.
Jupe à traîne en même matériau. Jupe plissée recouverte dans sa partie supérieure d'une résille en rosettes de jais. Le bas est orné de trois grands nœuds en satin. Jupe bordée de dentelle noire plissée.
Coiffure en même matériau ornée d'un bouquet de plumes d'autruche noires rehaussées de paillettes noires, accompagnée d'un voile en dentelle de tulle noire ornée de jais *(ill. 6)*.
Masque de deuil en velours noir, sourcils en jais. Sur le bord inférieur, dentelle en tulle plissé recouvrant le menton et ornée d'une broderie de jais. K. Földi-Docza pense que ce vêtement a été terminé dès 1876 et porté par l'impératrice lors des funérailles de Ferenc Deak, homme politique hongrois. Cependant cette affirmation est difficile à soutenir car Fanny Scheiner n'a été nommée couturière de la cour qu'en 1877.
Acquisition 1962.
KHM, Vienne - M-CXXII

57 Robe de cour noire d'Élisabeth, impératrice d'Autriche et reine de Hongrie
Après 1877
Griffe : Fanny Scheiner, Vienne.
Corsage baleiné en soie noire moiré. Fermé devant par des boutons en bois ronds recouverts de passementerie et de perles ; de chaque côté, une cascade de dentelle ornée de passementerie et de perles de jais. Des ruches de mousseline et de tulle et une dentelle en passementerie ornée de jais sont montées en manchettes. Partant du haut et passant au milieu de la taille devant et derrière, deux lés en pointe encadrent le drapé de la jupe. Ils sont bordés de dentelle en passementerie ornée de jais.
Jupe à traîne en même matériau. Derrière, un drapé partant du milieu de la taille en deux bouffants ornés de grands nœuds se termine par un ruché. Traîne plissée ajustée sous le drapé et bordée d'une dentelle en passementerie réhaussée de jais et de quatre garnitures.
Parure de tête en velours noir doublé de soie blanche, ornée de dentelle d'argent maintenue par un fil d'argent et d'un nœud en velours bleu noir argenté.
Portée par l'impératrice Élisabeth d'Autriche *(ill. 109)*.
Acquisition 1962.
KHM, Vienne - N-CXXIII

58 Costume de voyage d'Élisabeth, impératrice d'Autriche et reine de Hongrie
1896/1897
Griffe : Joseph Fischer
Jaquette en crêpe de laine noir doublé de taffetas en soie, étroite et descendant aux hanches. La manche, large à l'épaule, plissée et resserrée au poignet, est dite « manche à gigot ». Col rabattu. Plastron en taffetas recouvert de crêpe georgette de soie froncée, à col plissé. La jaquette est ornée de brandebourgs tissés.

Cinq paires de soutaches devant et une sur la manche forment des nœuds. À l'intérieur dos, griffe en soie noire à lettres jaunes : « Josef Fischer K. und K. œsterreich. Hof. - Kammerschneider etc. Wien und Berlin ».
Le style et la taille du vêtement, retrouvé dans les ruines du Musée mémorial de la reine Élisabeth détruit pendant la Seconde Guerre mondiale, laissent penser qu'il appartenait à sa garde-robe.
Don de Mme Antal Horvath, née Eva Moskovsky, 1964.
Jupe en taffetas reconstituée.
MNM, Budapest - T. 1964.48

59 Robe de jour probablement portée par l'impératrice Élisabeth lors de sa cure en 1898 à Nauheim et à Territet, avant sa mort
Vers 1898
Corsage de type boléro, en soie noire ornée d'une application de guipure posée en carreaux et d'un plissé en dentelle mécanique. Ses bords lobés couvrent en partie la ceinture baleinée. Le col rabattu, les manches froncées à l'épaule et resserrées au poignet sont garnis de guipure appliquée. Plastron en dentelle mécanique à jabot en plissé de dentelle.
Jupe reconstituée *(ill. 110)*.
Musée mémorial de la reine Élisabeth.
MNM, Budapest - 1956.531

60 Éventail ayant appartenu à l'impératrice et reine Élisabeth ou à sa fille, l'archiduchesse Marie-Valérie
Feuille : dentelle à l'aiguille en fil de lin sur fond de tulle, monture à quatorze brins en nacre ajourés. Sur le réseau hexagonal tissé, broderie de fleurs en relief, entourées de feuilles et de volutes. Par son dessin, comme par sa facture, l'objet évoque les éventails rococo.
Acquis de Lajos Kossuth von Uvard, qui le tenait de sa femme, la comtesse Élisabeth Sennyei,

elle-même l'ayant reçu en cadeau de sa marraine, épouse du comte Adam Kornis et dame de cour de la reine.
MNM, Budapest - 1081.212

II - Fonctionnaires de l'administration de cour

61 Le prince Rodolphe Colloredo-Mannsfeld, grand intendant, en petit uniforme de l'administration aulique
Le prince Rodolphe Colloredo-Mannsfeld (1772-1843) fut de 1827 à 1843 grand intendant des empereurs François Ier et Ferdinand Ier et chevalier de l'ordre de la Toison d'or.
Tableau de Ferdinand Georg Waldmüller (1793-1865), 1835 *(ill. 88)*.
Huile sur toile (60,5 x 53 cm).
KHM, Vienne - GG7027

62 Le prince Alfred Montenuovo, premier intendant de la cour, en grand uniforme de l'administration aulique
Le prince Alfred Montenuovo (1854-1927), un des petits-fils de l'impératrice Marie-Louise, fut à partir de 1899 second puis, de 1909 à 1916, premier intendant de la cour de l'empereur François-Joseph Ier. Sur le grand uniforme de gala d'officier supérieur, il porte l'ordre de la Toison d'or et la grand-croix de l'ordre de Saint-Étienne.
Tableau de John Quincy Adams (1874-1933), 1917 *(ill. 78)*.
Huile sur toile (88 x 68 cm, cadre ovale)
KHM, Vienne - GG 7284

63 Le prince Rodolphe von Liechtenstein, grand écuyer, en uniforme de campagne de général autrichien
Le prince Rodolphe von und zu Liechtenstein (1838-1908), chevalier de l'ordre de la Toison d'or, fut général de cavalerie, grand écuyer (de 1892 à 1896) puis grand intendant de l'empereur François-Joseph.

Tableau de Ludwig Michalek, 1917.
Huile sur toile (70 x 55 cm).
KHM, Vienne - GG 7283

64 Uniforme de campagne d'officier supérieur de la cour (grand écuyer) 1909
Griffe : C. M. Frank, Vienne (habit, gilet).
Habit en drap noir à col rabattu en velours noir à larges revers en drap noir. Boutons dorés avec l'aigle bicéphale appliqué.
Gilet en drap noir à col rabattu. Petits boutons dorés avec l'aigle bicéphale.
Bicorne en peluche de soie noire à plumes d'autruche noires, orné de torsades d'or et d'un bouton doré avec l'aigle bicéphale. Bordé d'un ruban de moire noire.
Porté par le comte Ferdinand Kinsky nommé grand écuyer en 1909.
Prêt de la famille Kinsky.
KHM, Vienne - Dp 4 / III

65 Grand uniforme de gala d'officier supérieur de la cour (grand écuyer) 1909
Griffe : C. M. Frank, Vienne (habit).
Habit en drap noir à riche broderie d'or pur (entrelacs de guirlandes de branches de chêne et galons ondulés à paillettes). Col et revers de manche en velours noir. Boutons dorés avec l'aigle bicéphale appliqué.
Pantalon en drap blanc à galon doré.
Bicorne en peluche de soie noire à plumes d'autruche blanches orné de torsades d'or et d'un bouton doré avec l'aigle bicéphale. Bordé d'un ruban de moire noire.
Épée en acier poli. Garde dorée au feu avec les initiales « FJI » (face avant) et l'inscription *Viribus Unitis* (face arrière), pommeau en forme de tête de lion, recouverte en son milieu de nacre. Sur le clavier, l'aigle impérial bicéphale. Lame marquée « Solingen ». Fourreau en cuir noir avec appliques de métal doré.

Porté par le comte Ferdinand Kinsky
nommé grand écuyer en 1909
(ill. 84, 85).
Prêt de la famille Kinsky.
*KHM, Vienne - DP 4 / 1 + N- LXXXI +
N-CXXII*

66 Petit uniforme de gala d'écuyer tranchant royal et impérial
1911
Griffes : A. Uzel & fils, Vienne
(habit), Johann Blazincic & ses fils,
Vienne (bicorne), Neveu de Franz
Thill, Vienne (insigne d'écuyer
tranchant).
Habit en drap bleu foncé à riche
broderie d'argent sur le col, les revers
de manche, les rabats de poche et à
l'arrière de la taille (palmettes). Col
et revers de manche en velours.
Boutons d'argent avec l'aigle
bicéphale appliqué.
Pantalon en drap bleu foncé à
double galon d'argent.
Bicorne en peluche de soie noire à
plumes d'autruche noires. Décoré de
torsades d'or et d'un bouton d'argent
avec l'aigle bicéphale, bordé d'un
ruban de moire noire.
Épée en acier poli. Poignée doré au
feu, recouverte en son milieu de
nacre. En application, les initiales
« FJI » avec la couronne impériale.
Sur le clavier, l'aigle impérial
bicéphale ajouré. Lame marquée
« Solingen ». Fourreau en cuir noir
avec appliques de métal doré.
Insigne d'écuyer tranchant :
pompon en bouillonné d'or portant
les initiales « FJI » et la couronne
impériale et recouvrant les clés
dorées.
Porté par le conseiller commercial
Oskar Edlem von Hœfft, nommé
écuyer tranchant en 1903.
Échange 1932.
KHM, Vienne - U 983

III - Livrées de cour

Chasseurs et laquais

67 Livrée de gala de valet d'arquebuse
Vers 1900
Griffe : Hermann Szaszi, Vienne
(bicorne).
Habit en drap vert foncé. Bordures,
coutures, rabats de poche et manche
ornés d'un double et large galon
d'argent. Boutons d'argent avec
l'aigle bicéphale doré, appliqué. Sur
l'épaule droite, aiguillette de soie
noire en quatre parties avec
monogramme « FJ » et couronne
impériale tissés en jaune.
Gilet en drap vert foncé à galons
d'argent et boutons d'argent avec
l'aigle bicéphale doré appliqué.
Culotte en drap vert foncé ornée
d'un galon d'argent sur la patte
d'attache. Petits boutons d'argent
avec l'aigle bicéphale doré, appliqué.
Bicorne en peluche de soie noire à
plumes d'autruche blanches, bordé et
décoré d'un large galon d'or et d'un
bouton doré avec l'aigle bicéphale.
Bandeaux de gala en cuir vert
recouvert d'un large galon d'or ornés
d'armoiries d'argent à l'aigle
bicéphale avec petite et grande
couronnes. Le bandeau porteur de la
corne de buffle montée d'argent, est
orné d'une tête de cerf d'argent
reliée par des chaînettes aux
armoiries. Le couteau de chasse
couronné d'une tête de chien
d'argent est fixé sur le second
bandeau.
Couteau de chasse à poignée en
corne de cerf couronné par une tête
de chien. Autre petit couteau de
chasse dans le fourreau *(ill. 90).*
*KHM, Vienne - U 55, U57, U60, U68 et
U78, U 294 / 24*

68 Manteau (capot) de livrée de gala de laquais
Vers 1900
Griffe : Wilhelm Pless, Vienne
(tricorne).
Manteau long en drap noir.
Bordures, col, rabats de poche,
coutures et fermetures ornés de larges
galons en soie jaune ornementés.
Boutons en soie blanc-jaune.
Tricorne en peluche de soie noire
avec plumes d'autruche blanches.
Décoré de torsades d'or et d'un
bouton doré à l'aigle bicéphale.
Bordé d'un galon d'or. Glands d'or à
deux des cornes. Perruque rococo
(ill. 89).
KHM, Vienne - U10, U295

Équipages

69 La voiture impériale de la cour de Vienne devant la cathédrale Saint-Étienne
Le grand carrosse impérial du
XVIIIe siècle attend l'empereur devant
le grand porche de la cathédrale
Saint-Étienne à l'issue de la
procession de la Fête-Dieu. Il est
conduit et accompagné à la manière
espagnole par des cochers montés et
des laquais qui portent la livrée
espagnole de velours jaune ou noir.
Les magnifiques et puissants étalons
blancs, avec leur harnachement de
velours rouge brodé d'or et orné de
ferrures de bronze, qui, attelés par
huit, tirent la voiture, étaient élevés
dans les haras de Kladrub-sur-l'Elbe.
Sous le nom de « Karossier », ils
étaient destinés aux écuries
impériales.
Tableau d'un peintre inconnu,
vers 1870 *(ill. 78).*
Huile sur toile (65 x 128,5 cm).
KHM, Vienne - WGBG Z-29

70 Spencer de jockey pour attelage de chevaux blancs

Vers 1900

Griffes : A. Uzel & Fils, Vienne (spencer). Wilhelm Pless, Vienne (casquette).

Spencer en drap noir avec franges en torsades d'or aux épaules. Bordures et coutures richement ornées d'un étroit galon d'or. Devant, les galons sont ornés de boutons sphériques dorés. Au bras gauche, brassard aux armes impériales en métal doré.

Culotte de cheval en cuir de cerf blanc.

Casquette en velours noir couronnée de franges en torsades d'or et bordée le long de la visière d'une cordelette d'or se terminant par deux glands *(ill. 80).*

KHM, Vienne - U325, U306, U 337

71 Livrée espagnole de cocher et laquais

1838, d'après d'anciens modèles

Manteau aux genoux en velours de soie noir doublé de soie jaune bordé de galons d'or. Devant, riches brandebourgs en passementerie d'or à glands d'or.

Culotte en peluche noire, attaches ornées d'un galon d'or *(ill. 87).*

KHM, MD 34 III/1, U 13

72 Livrée espagnole de cocher et laquais

1838

Confectionnée d'après d'anciens modèles à l'occasion du couronnement de Milan. Passementerie d'or de Therese Osswalt, passementière de la cour, écharpe et faux-col de Joseph Seng (Singer), inspecteur de la garde-robe

Manteau aux genoux en velours de soie jaune doré doublé de soie jaune bordé de galons d'or. Sur la poitrine riches brandebourgs en passementerie d'or à glands d'or.

Faux col en lin blanc recouvert de batiste blanche plissée avec deux bandes à franges d'or et paillettes.

Écharpe en soie noire, jaune et blanche nouée sur le côté droit, avec franges d'or et paillettes.

Culotte en peluche noire, pattes d'attache à galon d'or.

Chaussures en cuir naturel marron en partie doublé de drap rouge, bordées d'un cordonnet d'or et ornées d'un grand nœud en dentelle d'or. Talon recouvert de cuir naturel jaune.

Barette en velours noir à large passe recouverte d'un tissu doré et bordée d'un galon d'or. Nœud en dentelle d'or et deux glands en passementerie d'or, torsades et paillettes. Au-dessus de chaque gland, un bouton doré avec l'aigle bicéphale. Ornée de plumes d'autruche noires, blanches et jaune *(ill. 77, 79).*

KHM, Vienne, MD 33 III/1, 36 III/1, 35 III/1, U 12, 37 III/1, 32 III/1

73 Calèche attelée à la Daumont de chevaux noirs au bas du château de Schönbrunn

Cette calèche est attelée à la Daumont, c'est-à-dire qu'elle est menée par des cochers montés, les « jockeys ». À gauche un piqueur avec tunique, à droite deux laquais montés en livrée de campagne avec haut-de-forme.

Tableau d'un peintre inconnu, vers 1870 *(ill. 82).*

Huile sur toile (65 x 128,5 cm).

KHM, Vienne - WGBG Z-35

74 Spencer de jockey pour attelage à chevaux marron

Vers 1900

Spencer en drap jaune à épaulettes noires« nids d'hirondelle ». Bordures et coutures richement ornées d'étroits galons d'argent. Devant, les galons sont ornés de boutons sphériques d'argent.

Casquette en velours noir entourée de franges en torsades d'argent et bordée le long de la visière d'un cordonnet d'argent se terminant par deux glands *(ill. 81).*

KHM, Vienne - U328, U313

75 Livrée de gala de cocher et laquais

Vers 1900

Griffe : Hermann Szaszi, Vienne (bicorne).

Habit en drap noir. Bordures, coutures, rabats de poche et manche richement ornés de galons blancs et jaunes. Bande centrale du galon avec l'aigle bicéphale et la couronne impériale tissés. Boutons dorés avec l'aigle bicéphale en relief. Sur l'épaule droite, aiguillette en quatre parties en soie noire avec monogramme « FJ » et couronne impériale jaunes tissé.

Gilet en drap noir orné des mêmes galons que l'habit. Boutons dorés avec l'aigle bicéphale en relief.

Culotte en peluche noire, pattes d'attache à galon d'or.

Bicorne en peluche de soie noir à plumes d'autruche blanches. Décoré d'un nœud d'or, de passementerie d'or, de galon d'or et d'un bouton doré à l'aigle bicéphale. Perruque rococo *(ill. 41).*

Acquisition 1938.

KHM, Vienne - U1007, U17, U294

76 Livrée de campagne de cocher et de laquais

Après 1900

Griffe : A. Uzel & Fils (habit)

Habit en drap beige orné sur le col debout et la poitrine d'un double galon d'argent étroit. Boutons d'argenté avec l'aigle bicéphale en relief.

Gilet en drap jaune richement orné de larges galons d'argent bordés de jaune. Boutons d'argent avec l'aigle bicéphale en relief.

Culotte en drap noir, pattes d'attache ornées d'un étroit galon d'argent.

Guêtres en drap beige, portées par temps de pluie.

Bicorne en peluche de soie noir bordé d'un large galon d'argent et décoré d'un bouton d'argent avec l'aigle bicéphale *(ill. 42).*

Acquisition 1938.

KHM, Vienne - U 1013, U 138

Nobles en livrée : les pages

77 Livrée de gala de page
Vienne, vers 1910
Griffes : A. Uzel & Fils, Vienne
(tunique, culotte, guêtres),
A. Kempny & Fils, Vienne
(épaulette), P. et C. Habig, Vienne
(tricorne).
Tunique en drap rouge avec devant
faux gilet en drap gris-bleue. Col
debout et revers de manche en
velours noir. Col, revers, rabats de
poche, bordures et coutures sont
ornés de galons et de passements
d'or. Boutons dorés avec l'aigle
bicéphale en relief. Sur l'épaule
gauche, une épaulette en drap rouge
à franges en torsades d'or et l'aigle
bicéphale brodé. Trois aiguillettes
pendantes en soie noire bordée d'or à
broderie d'or (aigle bicéphale et
guirlande de feuilles de chêne et de
laurier) terminée par des franges en
torsades d'or.
Faux gilet devant, en drap gris bleu
bordé d'un large galon d'or.
Manchettes et jabot en dentelle
blanche.
Culotte en drap gris-bleu. Pattes
d'attache à galon d'or, rosette rouge
et or, bouton doré avec l'aigle
bicéphale. Deux galons pendants à
franges en torsades d'or fixés sur la
rosette.
Guêtres en drap gris-bleu à boutons
de nacre.
Rosettes de chaussure en galons
d'or et passementerie rouge et or.
Tricorne en peluche de soie noire à
plumes d'autruche blanches, larges
galons d'or et rosette de
passementerie rouge et or.
Les pages devaient payer eux-mêmes
leurs chaussures, bas et gants
(ill. 91).
KHM, Vienne - U494, U782, U842, U520 ,
U564, U902, U626

78 Manteau de livrée de gala de page
1916
Confectionné à l'occasion du
couronnement de l'empereur
Charles, roi de Hongrie.
Griffe : A. Uzel & Fils, Vienne.
Manteau en drap rouge plissé
devant. Col et revers de manche en
velours noir. Un bouton doré uni
(ill. 92).
KHM, Vienne - U580

IV - La Noblesse

Uniformes et robes de cour

**79 Uniforme de deuil de haut
dignitaire de la cour**
Vers 1910
Griffes : A. Uzel & fils, Vienne
(habit). Neveu de Franz Thill,
Vienne (bicorne).
Habit en drap noir à col debout et
boutons de métal recouverts de drap
noir.
Pantalon en drap noir.
Bicorne en peluche de soie noire à
plumes d'autruche noires. Orné de
torsades noires et d'un bouton
recouvert de soie noire. Sur la pointe
avant, rosette en organdi noire plissée
(crêpe de deuil). Bordé d'un ruban de
moire noire.
Épée en métal «bleu». Poignée
recouverte de tissu noir.
Échange 1932.
KHM, Vienne - U 985

**80 Robe de cour d'une princesse
Kinsky**
Vers 1900
Corsage en soie de couleur crème
recouvert de tulle point d'esprit au fil
d'or. Un double volant en tulle
richement brodé d'or borde un grand
décolleté et tombe sur la poitrine et
les manches.
Jupe en même matériau recouverte
de tulle point d'esprit au fil d'or.
Double volant à riche broderie d'or.
La très longue traîne (3,35 m), fixée
à la taille, est ornée en bordure d'une

broderie s'élargissant à son extrémité.
Porté par la princesse Élisabeth
Kinsky, née comtesse Wolff-
Metternich (1874-1909) *(ill. 94).*
Acquisition provenant d'une collection privée,
1992. KHM, Vienne - N-CCXXXI

**81 Robe portée par la comtesse
Attems, baronne von Heiligenkreuz,
née Schürer von Waldheim (Vienne
1868-Graz 1942) lors d'un bal
costumé à Abbazia (Croatie)**
Vienne, vers 1902
Griffe : Gröhmann & Nähr, Robes.
Modes & Confections, Vienne I,
Käntnerring 6.
Corsage étroit en satin blanc,
broderies de métal avec l'aigle
bicéphale couronné en application.
Manche à drapé bouffant.
Jupe de même matériau drapée au dos
et se terminant en traîne.
Le costume original nous est connu
grâce à une photo. Ont disparu de la
robe, un plastron à col debout orné de
franges métalliques et les mêmes
franges ornant les manches et la taille.
Une cape à col debout doublée de
tissu clair et formant une traîne ainsi
qu'un blason avec l'aigle bicéphale
complétaient la tenue.
MAK, Vienne - T 10 338

82 Robe de cérémonie
1886
Corsage en velours de soie descendant
en pointe agrafé sur le devant, doublé
de soie, taille étroite, encolure en V
ornée de gaze, rubans de soie et
broderies de perles sur tulle de soie.
Manches longues étroites en gaze
incrustée de bandes en satin,
légèrement bouffantes aux épaules.
Jupe en velours de soie, brocart et
soie. Devant légèrement évasé, très
riches broderies de perles sur tulle en
soie orné de bandes en velours. Dos
ramassé en «cul de Paris» et terminé
par une petite traîne.
Vraisemblablement portée à la cour de
Vienne.
HMS, Vienne - M.5.503

83   Robe de cour à la hongroise
Début du XXe siècle.
Griffe : Worth, Paris.
Velours de soie framboise, satin blanc,
satin rose, tulle brodé, dentelle d'argent,
broderie en fil et lames d'argent.
Corsage en velours à devant en
satin, à grand décolleté et petite
basque coupée en neuf parties
brodées. Manches courtes froncées en
satin recouvertes de tulle brodé et
bordées de dentelle. Un nœud de
satin sur chaque manche. Devant
brodé de grandes fleurs et orné de
chaque côté de cinq grosses agrafes
décoratives en argent et strass.
Jupe en satin rose avec traîne ornée
d'une large broderie en fil et lames
d'argent représentant des rinceaux
fleuris.
Coiffure : fond en velours avec
nœud en satin bordé de dentelle en
argent. Long voile en tulle brodé
(mécanique).
Acquis en vente publique, en 1988.
MMC, Paris - 88. 229

Livrées de maisons nobles

**84   Livrée de laquais des princes
Kinsky**
Vers 1880
Griffes : C. M. Frank, Vienne
(habit, gilet, culotte), B. & E.
Ranvenscroft, Londres (perruque).
Habit en drap blanc doublé de soie
rouge. Bordures, coutures, manches et
rabats de poche richement ornés de
galons d'argent avec les armoiries
tissée de la famille Kinsky surmontées
de la couronne princière. Boutons
demi-sphériques en argent avec les
armoiries en relief de la famille
Kinsky.
Gilet en peluche rouge orné du même
galon et de petits boutons demi-
sphériques en argent aux mêmes
armoiries.
Culotte en peluche rouge, pattes
d'attache avec un gland d'argent et des
boutons demi-sphériques en argent
avec armoiries.

Bicorne en peluche de soie noire à
plumes d'autruche rouges et blanches,
orné d'un galon d'argent et d'un
bouton en argent aux mêmes
armoiries.
Perruque à cinq rouleaux et résille
(ill. 95).
Prêt de la famille Kinsky.
KHM,MD - Dp4 / V.a-d

**85   Livrée de laquais des comtes
Attems**
Vers 1820
Habit en drap jaune doublé de lin
bleu. Bordures, coutures, revers
de manche et rabats de poche ornés
d'un galon de soie à motifs blanc
et bleu (fleurs et feuilles).
Boutons en corne avec application
d'argent en forme de cercle.
Gilet en drap jaune clair à large
galon d'argent. Mêmes boutons que
l'habit *(ill. 97).*
Acquisition provenant d'une collection privée
1957.
KHM, Vienne - N-LXIIIa

**86   Livrée d'officier de maison des
comtes Attems**
Vers 1880
Habit en drap bleu foncé.
Bordures, col debout, revers de
manche, rabats de poche et basques
ornés d'une riche broderie d'argent
(feuilles d'acanthe). Boutons
d'argenté avec les armoiries en relief
des comtes Attems *(ill. 98).*
Acquisition provenant d'une collection privée
1957.
KHM, Vienne - N-LXVIIa

**87   Livrée de page des barons von
Sztojanovits**
1896
Griffe : Kolarits Nantor, «*Arad,
Temesvar*».
Spencer en drap bleu à double
manche, celles du dessous en drap
jaune à revers bleu, celles du dessus,
courtes et ouvertes sur l'avant-bras.
Sur la poitrine, le col debout et les
manches de dessus, bandes d'étoffe

jaune ornées de galons dorés et de
boutons demi-sphériques en laiton
doré. En bordure, sur les angles
et les coutures, galons en
passementerie d'or. Cravate
en soie jaune avec broderie d'or
au crochet.
Culotte à pont, haut en drap jaune,
jambes en drap bleu. Riche
ornementation de galons en
passementerie d'or.
Coiffure en drap bleu, parement en
drap jaune ornementé de galons en
passementerie d'or. Une plume
d'aigle devant *(ill. 96).*
Acquisition provenant d'une collection privée,
1955.
KHM, Vienne - M-XL VII

III - La mode,
repère chronologique

88   Robe de jour
Vers 1828
Corsage en coton blanc. Taille
étroite, profond décolleté, pinces de
poitrine, longues manches à gigot
terminées par un poignet.
Jupe en coton blanc, pinces de taille,
ornée de deux rangs de volants brodé
et garnis de tulle.
Portée par une comtesse
Thun-Hohenstein.
HMS, Vienne - M.18.393

89   Robe de jour et du soir
Vers 1860
Robe à deux corsages en taffetas de
soie vert damassé. Avec son corsage à
manches longues, c'est une robe de
jour, avec son corsage à manches
courtes et profond décolleté, c'est
une robe du soir.
Corsage à manches courtes
bouffantes, baleiné et doublé de
coton, boutonné devant. Taille
étroite et profond décolleté en rond
orné de dentelle en coton.
**Corsage fermé à manches trois-
quarts** ornées d'un ruché de soie,
taille étroite, boutons sur le devant.
Jupe à neuf panneaux montés sur

gaze, plissée à la taille à pli creux au dos, poche plaquée et fermeture par agrafes.
Portée par Henriette von Neuwall.
HMS, Vienne - M. 3.473

90 Robe de cérémonie
Vers 1888
Griffe : G. & E. Spitzer, Vienne.
Corsage baleiné en reps écru.
Col debout, manches trois-quarts collantes, taille étroite terminée en pointes devant et derrière. Brodé à la main et orné de mousseline en soie. Doublé en taffetas de soie et fermé devant par des agrafes.
Jupe en même matériau à tournure terminée en traîne. Bordée par trois rangs de mousseline plissée à la main. Doublure en soie de couleur crème.
Portée par Katharina Schratt (1855-1940).
HMS, Vienne - M. 18. 613

91 Robe de jour
Vers 1900
Griffe : Hansal, Vienne.
Corsage baleiné en satin de soie noir à motifs tissés. Taille étroite, col debout, plastron en satin crème recouvert de tulle de soie noir brodé de perles et de paillettes. Manches longues avec deux volants de mousseline plissée à partir des coudes. Fermé devant par des agrafes.
Jupe de même matériau terminée en petite traîne. Bordure de mousseline plissée, devant brodé de paillettes et de perles.
Selon la tradition familiale, cette robe a été portée par la baronne Sidonie Nadherny lors d'une audience auprès de l'empereur François-Joseph.
HMS, Vienne - M.15.761

92 Robe du soir
Vers 1911
Corsage en satin de soie écru orné de tulle en soie et dentelle métallique.

Taille haute sous un profond décolleté carré orné de roses en étoffe, demi-manches.
Jupe étroite recouverte d'une seconde jupe terminée en traîne, portée par la baronne Alice Baumgartner, née Manussi von Montesole.
HMS, Vienne -M.5. 904

93 Robe du soir
Vers 1912
Robe en crêpe de soie crème ornée d'applications, de pierres de verre et de perles.
Corsage à demi-manches, décolleté rond, taille soulignée d'une ceinture.
Jupe droite fendue sur le côté, terminée par une traîne prise au milieu du dos dans un nœud, portée par la baronne Alice Baumgartner, née Manussi von Montesole.
HMS, Vienne - M.5. 903

IV - Le dernier empereur et le couronnement de Budapest en 1916

94 La princesse héritière Stéphanie en grande robe noire
La princesse Stéphanie de Belgique (1864-1945) épousa en 1881 le prince héritier Rodolfe d'Autriche. Ce portrait est une étude pour un portrait en pied.
Tableau de Hans Canon (1829-1885), 1881.
Huile sur toile (71 x 58 cm).
KHM, Vienne - GG 9562

95 L'empereur Charles Ier en uniforme de campagne
L'empereur Charles Ier (1887-1922), dernier empereur d'Autriche et roi de Hongrie (Charles IV) est représenté en uniforme de feld-maréchal, uniforme vert-de-gris introduit au début de la Première Guerre mondiale. Il porte l'ordre de la Toison d'or, la grand-croix de l'ordre militaire de Marie-Thérèse et la croix de fer prussienne.
Tableau de Wilhelm Viktor Krausz

(1878-1959), 1917 *(ill. 20)*.
Huile sur toile (150 x 105 cm).
KHM, Vienne - GG 7287

96 L'impératrice Zita et le prince héritier Otto quittant la voiture impériale au château de Budapest, avant le sacre royal
Le couronnement de l'empereur Charles et de l'impératrice Zita respectivement roi et reine de Hongrie, le 30 décembre 1916, fut le dernier grand spectacle de l'histoire de l'ancienne Europe. Le prince héritier Otto avait alors quatre ans. Ce tableau fut peint en 1929, la Hongrie étant encore nominalement une monarchie mais sans roi. Charles mourut en 1922 en exil à Madères.
Tableau de Gyula Eder (1875-1929) *(ill. 9)*.
Huile sur toile (90 x 110,5 cm).
KHM, Vienne - WGBG Z 147

97 Photographie officielle de la famille impériale et royale après le couronnement de Charles IV de Hongrie,
Budapest, 1916
Le roi Charles IV de Hongrie, la reine Zita et le prince héritier Otto *(ill. 22)*.
Bildarchiv der Österreichische National Bibliothek, Vienne, KO. 1292/B/CR Vienne

98 Costume de cérémonie du prince héritier Otto
1916
Griffe : G. & E. Spitzer, Vienne.
Manteau en brocart d'or. Col, manches et bordure garnis d'hermine.
Tunique en satin blanc à brandebourgs d'or, bordée d'une riche broderie d'or. Etroit galons d'or au col et au bord des manches. Boutons en passementerie d'or.
Ceinture en cuir blanc ornée de passementerie d'or.
Coiffure en brocart d'or à parement d'hermine.

Chaussures en satin blanc bordées d'hermine, broderie et passementerie d'or.
Le prince héritier Otto porta ce vêtement le 30 décembre 1916 à Budapest lors du couronnement de son père, l'empereur Charles, roi de Hongrie.
Prêt de Otto von Habsburg, KHM, Vienne, - MDp9

99 Robe de cour à la hongroise
1916
Corsage en velours de soie rouge, empiècement et manches gigot en satin de soie champagne recouverts de mousseline de soie et ornés de galons d'or et d'argent. Descendant en pointe sur le devant, quatre agrafes. Taille étroite et profond décolleté.
Jupe en velours de soie rouge légèrement évasée, longue traîne. Ornée de riches broderies d'or et d'argent.
Tablier en tulle de soie orné de riches broderies d'or et d'argent.
Portée par la comtesse Karoly en 1916 lors du couronnement de l'empereur Charles, roi de Hongrie.
(ill. 93)
HMS, Vienne - M10 236

100 Robe de cérémonie
1916
Corsage en velours de soie vert. Taille étroite, profond décolleté à bordure drapée orné d'une broderie de coton crème et de vison. Manches courtes.
Jupe en velours de soie vert, légèrement évasée terminée en traîne et ornée de vison.
Portée par la comtesse Berchtold, née comtesse Karoly, en 1916 lors du couronnement de l'empereur Charles, roi de Hongrie.
HMS, Vienne - M. 10.237

Bibliographie

Cette bibliographie se constitue de deux parties : une bibliographie savante, celle à laquelle réfèrent les études des auteurs, et un recensement exhaustif des ouvrages disponibles en France sur la question.

I Bibliographie recensée par les chercheurs

Kunsthistorisches Museum, Vienne :

Généralités historiques

Johann Christoph Allmeyer-Beck
« Die Träger der staatlichen Macht. Adel, Armee und Bürokratie » in Spectrum Austriae, 2. Aufl. Wien, 1980.

Viktor Bibl
« Die Niederösterreichischen Stände im Vormärz » Ein Beitrag zur Vorgeschichte der Revolution des Jahres 1848, Wien 1911.

Egon Caesar Conte Corti
« Vom Kind zum Kaiser - Mensch und Herrscher - Der alte Kaiser » (voll. v. Hans Sokol), 3 Bde., Graz/Wien, 1950-1955.

Otto Friedländer
« Letzter Glanz der Märchenstadt », Wien/München, 1969.

William M. Johnston
« Österreichische Kultur - und Geistesgeschichte » Gesellschaft und Ideen im Donauraum 1848 bis 1938, in Forschungen zur Geschichte des Donauraums 1, Graz, 1974.

Robert A. Kann
« Das Nationalitätenproblem der Habsburgermonarchie », 2 Bde., Graz, 1964.

Willy Lorenz
« Das heimliche Römische Reich » in H. Fillitz, Die Österreichische Kaiserkrone, Wien, 1959, 2. Aufl. 1973.

Ferdinand Tremel
« Wirtschafts - und Sozialgeschichte Österreichs von den Anfängen bis 1955 », Wien, 1969.

Stefan Zweig
« Die Welt von Gestern » Erinnerungen eines Europäers, Stockholm, 1944, Wien, 1952. (cf. infra)

Le vêtement et la mode

Généralités

Max von Boehn
« Die Mode » Menschen und Moden im neunzehnten Jahrhundert nach Bildern und Kupfern der Zeit, ausgew. v. Dr. O. Fischel, Text von M. v. Boehm, 4 Bde., München 1907f.

Henri Defontaine
« Du costume civil officiel et de l'uniforme militaire des officiers à la Cour... » depuis 1804 jusqu'à nos jours, Paris, 1908.

Ingeborg Petraschek-Heim
« Die Sprache der Kleidung » Wesen und Wandel von Tracht, Mode, Kostüm und Uniform, Wien 1966, 2. Aufl. Baltmannsweiler 1988.

Fritz Eheim und Sivia Petrin
Katalog der Ausstellung « Die Stände Niederösterreichs », Niederösterreichisches Landesmuseum, Wien, 1975.

Bearbeitet von Günther Heinz und Karl schütz
Katalog der « Portraitgalerie zur Geschichte Österreichs von 1400 bis 1800 » auf Schloss Ambras, Wien 1976, 2. Aufl. 1982.

Verfasst von Rudolf H. Wackernagel, Herbert Haupt et Georg Kugler
Katalog der Ausstellung « Der goldene Wagen des Fürsten Joseph Wenzel von Liechtenstein », Wagenburg in Schönbrunn, 1977.

Georg Kugler und Herbert Haupt
Katalog der Ausstellung « Uniform und Mode am Kaiserhof » Hofkleider und Ornate, Hofuniformen und Livreen des 19. Jahrhunderts aus dem Monturdepot des Kunsthistorischen Museums, Schloss Halbturn, 1983.

Kirsten Piacenti Aschengreen, Roberta Orsi Landini und Lucia Ragusi
Katalog der Ausstellung « Lo splendore die una Regia Corte ». Uniforme e Livree del Granducato di Toscana 1765-1799, Palazzo Pitti, Florenz, 1983/1984.

Marzia Cataldi Gallo, Carla Cavelli Traverso und Elisa Coppola
Katalog der Ausstellung « Fasti della Burocrazia », Uniformi civili e di corte dei secoli XVIII-XIX., Palazzo Rosso, Genua, 1984.

Nigel Arch und Joanna Marschner
Katalog der Ausstellung Court Dress
Collection, Kensington Palace,
Londres, 1984.

Georg Kugler und Herbert Haupt
Katalog der Ausstellung «Des Kaisers
Rock». Hofkleider und Ornate,
Hofuniformen und Livreen des 19.
Jahrhunderts aus dem Monturdepot
des Kunsthistorischen Museums,
Schloss Halbturn 1989.

**K. Földi-Dozsa B. Hamann, D.
Heinz, H. Kessler, G. Kugler et R.
Witzmann**, beruht auf der
gleichnamigen Ausstelung
Katalog der Ausstellung «The Imperial
Style» Fashions of the Hapsburg Era. The
Metropolitan Museum of Art New York,
1980. das Werk mit Beiträgen u. a. von.

Bibliographie spécialisée

Nigel Arch und Joanna Marschner
«Splendour at Court». Dressing for
Royal Occasions since 1700, London,
1987.

Erwin M. Auer
«Die Ordensgarderobe». Ein Beitrag
zur Geschichte der kleinen Wiener
Hofdienste, in Festschrift zur Feier des
200-jährigen Bestandes des Haus-,Hof-
und Staatsarchivs, Band 2, 1951.

Erwin M. Auer
«Die Auflösung des Wiener "K. u. k.
Hof-Marstalls" im Rahmen der
Obersten Verwaltung des Hofärars»,
in Jahrbuch des Vereines für
Geschichte der Stadt Wien 37, 1981.

Jean-Paul Bled
«La Cour de François-Joseph», in Hof,
Kultur und Politik im 19. Jahrhundert,
Pariser Historische Studien 21, Bonn
1985, S. 169-182.

Hermann Fillitz
«Die Insignien und Ornate des
Kaisertums österreich», in Jahrbuch
der kunsthistorischen Sammlungen in
Wien 52, 1956.

Herbert Haupt
«Die "Livrée" Fürst Joseph Wenzels
von Liechtenstein». Ein Beitrag zur
Kostümgeschichte des 18. Jahrhunderts,
in Jahrbuch des Historischen Vereins für
das Fürstentum Liechtenstein, Bd. 77,
Vaduz, 1977.

Herbert Haupt
«Die Aufhebung des spanischen
Mantelkleides durch Kaiser Joseph II» -
Ein Wendepunkt im höfischen
Zeremoniell. in Österreich zur Zeit
Kaiser Josephs II, Ausstellungskatalog,
Melk 1980.

Friedrich Heyer von Rosenfeld
«Die Orden und Ehrenzeichen der
k.u.k. österreichisch-ungarischen
Monarchie», Wien, 1888.

Albert Hübl
«Die k.u.k Edelknaben am Wiener
Hof», in Jahres-Bericht des kais.kön.
Ober-Gymnasiums zu den Schotten in
Wien, 1911/1912.

Helga Kessler-aurisch
«Mode und Material in Wien vom
Wiener Kongress bis zum Ersten
Weltkrieg», Gedruckte Dissertation,
Freiburg im Breisgau 1983.

Maja Lüdin
«Die Leibgarden am Wiener Hof».
Dissertation, Wien, 1965.

Emil Paskovits
«Die Erste Arciérenleibgarde seiner
Majestät des Kaisers und Königs». Ein
Rückblick auf ihre hundertfünfzigjährige
Geschichte, Wien, 1914.

La cour de Vienne

Erwin M. Auer
«Vom Ordensornat zur
Ordensuniform», Wiener
Geschichtsblätter 5, 1950.

Brigitte Hamann
«Kaiserin Élisabeth : Das poetishe
Tagebuch», Wien, 1984.

Max Herzig
Viribus unitis. Das Buch vom Kaiser,
Vienne (um 1900).

Jahrbuch des K. und K. Auswärtigen
Dienstes, erster Jahrgang 1897 bis 21.
Jahrgang 1917 Kämmerer-Almanach.
Mit einer Monographie über die
Kämmererwürde von Wilhelm Pickl v.
Witkenberg, Wien 1903, 2. Aufl. 1905.

Erwin A. Schmidl
«Tropen- und Sommeruniformen der
k.u.k. Konsular-und diplomatischen
Beamten 1913 bis 1918», in
Mitteilungen des österreichischen
Staatsarchivs 40, 1987.

Christiane Thomas
«Ornat und Insignien zur Lombardo-
Venezianischen Krönung 1938», in
Mitteilungen des österreichischen
Staatsarchivs 32, 1979.

Ernst Trost, Christian Brandstätter et Kurt Stümpfl,
« Franz Joseph I ». Wien / München, 1980.

Ivan R. v. Zolger
« Der Hofstaat des Hauses österreich, Wiener Staats-wissenschaftliche Studien 14 », 1917.

Au Magyar Nemzeti Muzeum, Musée National Hongrois, de Budapest

catalogues d'exposition

« Exposition du Musée National Hongrois », Budapest, 1938, n° 127 = cat. MMC Paris, n° 53.

Jozsef Höllrigl
« Régi magyar ruhak » *Le costume hongrois ancien,* Budapest, 1938, p. 23-24, pl. 28 = cat. MMC Paris, n° 53.

Katalyn Földi-Dozsa
« Erzsébet a magyarok kiralynéja / Élisabeth, die Königin von Hungarn » *Élisabeth, la reine des Hongrois,* Musée National Hongrois, 1992, cat. n° 3.41-43 = cat. MMC Paris, n° 49 - n° 13.10 = cat. MMC Paris, n° 60 - n° 13.10 = cat. MMC Paris, n° 61 - n° 4.19, pl. 27 = cat. MMC Paris, n° 62.

« Élisabeth, Königin von Ungarn », Eisenstadt, Wien, München, 1991, n° 157 = cat. MMC Paris, n° 62.

« Harom nemzedék ereklyetargyai a Magyar Nemzeti Muzeumbol 1823-1875 » *Les reliques de trois générations au Musée National Hongrois, 1823-1875,* Budapest, 1988,

n° 43 = cat. MMC Paris, n° 60 -
n° 44 = cat. MMC Paris, n° 61 -
n° 59 = cat. MMC Paris, n° 62.

« Das Zeitalter Kaiser Franz Josephs II. Teil 1880-1916. Glanz und Elend », Schloss Grafenegg, Wien, 1987, n° 13.12 = cat. MMC, n° 61.

Imre Szalay
« Az Erzsébet kiralyné Emlékmuzeum » Le Musée Mémorial de la reine Élisabeth, Budapest, 1909, n° 99 = cat. MMC, Paris, n° 61.

II Quelques ouvrages publiés en France

Livres

Peter Altenberg
Esquisses et nouvelles esquisses viennoises, trad. française, Paris, éd. Actes Sud, 1989.

Nicole Avril
L'Impératrice, Paris, éd. Grasset, 1993.

Pierre Behar
L'Autriche-Hongrie, idée d'avenir, Paris, éd. Desjonguières, 1991.

Steven Beller
Vienne et les Juifs 1867-1938, Essais et Recherches, Paris, éd. Nathan, 1991. Trad. de Vienna and Jews 1867-1938 : *a cultural history,* Cambridge, 1989.

Jean Bérenger
Histoire de l'empire des Habsbourg 1273-1918, Paris, éd. Fayard, 1990.

Jean Bérenger
L'Europe danubienne de 1848

à nos jours, Paris, éd. PUF, 1975.

Celia Bertin
La Femme à Vienne au temps de Freud, Paris, éd. Stock, 1989.

Jean-Paul Bled
François-Joseph, Paris, éd. Fayard, 1987, 2e éd. 1994.

Jean-Paul Bled
Rodolph et Meyerling, Paris, éd. Fayard, 1989.

Marcel Brion
Vienne au temps de Mozart et de Schubert, Paris, éd. Hachette, 1959 - réédition 1988.

Hermann Broch
« Hofmannsthal et son temps », in *Création littéraire et connaissance,* trad. française, Paris, Gallimard, 1988.

Elias Canetti
Histoire d'une jeunesse (1905-1921), 1er volume de son autobiographie, trad. française, Paris, Albin Michel, 1987.

Jean des Cars
Sur les pas de Sissi, photos de Jérôme de Cunha, Paris, Librairie Académique Penin, 1989.

Jean des Cars
Élisabeth d'Autriche ou la fatalité, Paris, Librairie Académique Perrin, 1983.

Giacomo Casanova
Mémoires, trad. française, Paris, Gallimard, 1960.

Georges Castellan
Histoire des peuples d'Europe centrale,
Paris, éd. Fayard, 1994.

Raymond Chevrier
Sissi, Vie et destin d'Élisabeth d'Autriche,
Genève-Paris, éd. Minerva, 1987.

Catherine Clément
Sissi, l'impératrice anarchiste, Paris,
Gallimard, coll. Découvertes n° 148,
1992.

Erik Cordfunke
Zita, la dernière impératrice 1892-1989,
Paris-Louvain-Caveuve,
éd. Duculot, 1990. Traduction de Zita,
Keizerin van Oostenrijk, Koningin van
Hongarije, Amsterdam,
éd. De Bataafsche Leeuw, 1985.

Heimito von Dodener
Les Démons, trad. Paris, Gallimard,
1965.

Louis Eisenmann
Le Compromis austro-hongrois de 1867,
Paris, 1904, 2e édition, Paris,
éd. Cujas, 1968.

Erich Feigl
*Zita de Habsbourg, mémoires d'un
empire disparu,* Paris, éd. Criterion,
1991.

François Fejtö
Requiem pour un empire défunt, Paris,
éd. Lieu Commun, 1988.

Lydia Flem
*La Vie quotidienne de Freud et de ses
patients,* Paris, Hachette, 1986.

Hermann Glaser
Sigmund Freud et l'âme du XXe siècle,
trad. française, Paris, PUF, 1995.

Otto de Habsbourg
*L'idée impériale, Histoire et avenir d'un ordre
supranational,* Presses Universitaires de
Nancy, 1989. Traduction de : «Die
Reichsidee» *Geschichte und Zukunft einer
übernationalen Ordnung,* Vienne/Munich,
éd. Amalthea, 1986.

Otto de Habsbourg
Mémoires d'Europe, Entretiens avec
Jean-Paul Picaper, Paris,
éd. Criterion, 1994.

Brigitte Hamann
Élisabeth d'Autriche, Paris, éd. Fayard,
1985. Traduction de Élisabeth, Kaiserin
wider Willen.

Hugo von Hofmannsthal
*Histoire d'un monsieur de Linz racontée
par lui-même,* trad. Paris, Hachette,
B.P.I., Centre Georges Pompidou,
1986.

Guy Hocquenghem
«Vienne, un guide intime», *l'Europe des
villes rêvées,* Paris, éd. Autrement, 1986.

Philippe Jaccottet
Autriche, Lausanne, éd. l'Âge d'homme,
1994.

**Allan S. Janik, Stephen E.
Toulmin**
Wittgenstein, Vienne et la modernité,
trad. française, Paris, PUF, 1978.

William M. Johnston
L'Esprit viennois, 1977, trad. française,
Paris, éd. PUF, 1985, 1991.

William M. Johnston
Vienne impériale, 1815-1914, trad.
française, Paris, Nathan, 1982.

R.A. Kann
*A History of the Habsburg Empire,
1526-1918,* Berkeley, 1974.

Karl Kraus
Dits et contredits, trad. Paris,
éd. Champ Libre, 1975.

Georg Kugler
François-Joseph et Élisabeth, Graz,
éd. Bonechi, Styria, 1994.

Henry-Louis de La Grange
Vienne, histoire musicale 1100-1848,
Paris, éd. Bernar Coutaz, 1990.

Jacques Le Rider
Modernité viennoise et crise de l'identité,
Paris, P.U.F., 1990.

André Lorant
*Le Compromis austro-hongrois et l'opinion
publique française en 1867,* Genève,
éd. Droz, 1971.

Winneburg Metternich
Carnets viennois, journal de la troisième
fille du prince Clément de Metternich,
écrit à Vienne entre 1926 et 1829,
trad. française, Paris,
éd. Duculot, 1991.

Bernard Michel
*États et nationalités en Europe
au XIXe siècle,* Paris,
éd. La Documentation française, 1987.

Bernard Michel
La Chute de l'Empire austro-hongrois,
Paris, éd. Laffont, 1991.

Olivier Milza
Histoire de l'Autriche, Paris,
éd. Hatier, 1995.

Paul Morand
Fin de siècle, Paris,
Gallimard, rééd. 1986.

Paul Morand
La Dame blanche des Habsbourg, Paris,
éd. Librairie Académique Perrin, 1980.

Robert Musil
L'Homme sans qualité, trad. française de
Philippe Jacottet, Paris,
éd. Le Seuil, 1957.

Gérard de Nerval
Voyage en Orient, 1851

Michel Pastoureau
Chevaliers de la Toison d'or, Paris,
éd. Le Léopard d'Or, 1986.

Michael Pollak
Vienne 1900, une identité blessée, Paris,
éd. Gallimard-Julliard, coll. Archives,
1984.

Peter Prosch
Mémoires d'un bouffon, Paris, éd. Phébus,
1995, trad. de Leben und Ereignisse
des Peter Prosch, eines Tyrolers von
Ried im Zillerthal, oder, das Wunderbare
Schicksal, Munich, 1789.

Joseph Roth
La Crypte des Capucins, trad. Paris,
éd. Le Seuil, 1983.

Irmgard Schiel
*Stéphanie, princesse héritière dans
l'ombre de Mayerling*, Paris-Gembloux,
éd. Duculot, 1980. Traduction de

Kronprinzessin im Schatten von
Mayerling, eine Biographie, Stuttgard,
éd. Anstalt, 1978.

Arthur Schnitzler
Vienne au crépuscule, trad. Paris,
éd. Stock, 1982.

Carl E. Schorske
Vienne fin de siècle, politique et culture,
Paris, éd. du Seuil, 1983, trad. française
de Fin-de-siècle Vienna, New York,
éd. Alfred A. Knopf, 1961.

Stendhal
De l'Amour, 1822.

Victor-Louis Tapie
Monarchie et peuples du Danube, Paris,
éd. Fayard, 1969.

Jean Vidaleuc
*L'Europe danubienne et balkanique -
1867-1970*, Paris, éd. Masson, 1973.

Angela Völker
*Textiles of the Wiener Werkstätte,
1910-1932*, Vienne,
éd. Christian Braudstädler, 1990 /
Thames & Hudson ltd, Londres, 1994.

Robert Waissenberger
Vienne 1890-1920, Paris,
éd. Le Seuil, 1983.

Otto Wagner, Peter Heiko
Esquisses, projets, constructions,
reproduction de 4 volumes originaux
de 1898, 1897, 1906 et 1922,
Bruxelles, éd. Pierre Mardaga, 1987.

J. Wortis
Psychanalyse à Vienne, Paris,
Denoël, 1974.

Stefan Zweig
*Le Monde d'hier, souvenirs d'un
Européen*, Paris, éd. Belfond,
éd. Atrium Press, 1982. Traduction de:
«Die Welt von Gestern», Stockholm,
éd. Bermann Fischer, 1944.

Stefan Zweig
Journaux, 1912-1940, Paris, èd. Belfond
1986. Traduction de Tagebücher,
éd. S.Fischer GmbH,
Francfort-sur-le-Main, 1984.

**François Latraverse, Walter
Moser**
Vienne au tournant du siècle, Paris,
éd. Albin Michel, 1988.

Catalogues

*Historic Hungarian Costume from
Budapest*, Manchester, Whitworth Art
Gallery, 1979.

*Uniformes civils français, cérémonial
circonstances 1750-1980*, texte de
Madeleine Delpierre. Paris, Musée de
la Mode et du Costume, Palais Galliera,
1982-1983.

*Vienese Design and the Wiener
Werkstätte*, texte de Jane Kallir galerie
St Étienne, New York,
éd. Georges Braziller, 1986.

Vienne 1880-1938, l'Apocalypse joyeuse,
sous la direction de Jean Clair, Paris,
musée national d'Art moderne,
Centre Georges Pompidou, 1986.

Actes de colloques

1985
Les Relations franco-autrichiennes de

1875 au Traité d'état de 1955. Actes du colloque Universitaire de Poitiers, 1982. Directeur de publication :
Bernard Michel,
Poitiers, éd. Poitiers Crap.

1988

Les écoles de Vienne, Actes de colloque 1984. - Directeur de publication :
Yves Pelicier, Paris, éd. Economica.

1988

Les Habsbourg et la Lorraine, Actes du colloque de Nancy, 1987, Nancy,
Coll. Diagonales, PUF.

1990

Les nationalités de l'Autriche-Hongrie et la Paix de 1918-1919. Actes du colloque franco-autrichien, 1988. Réunis et présentés par G. Castellan, Paris III, Institut autrichien.

1993

Wien-Berlin, Deux sites de la Modernité, Zwei Metropolen des Moderne (1900-1930). Actes du colloque de Montpellier, 1992.
Directeur de publication :
Maurice Gode, Ingrid Haas et Jacques Le Rider, in *Cahiers d'Études Germaniques*, n° 24.

Revues
Publications régulières

Études danubiennes, revue du groupe d'études de la monarchie des Habsbourg, centre d'études germaniques de l'université Robert Schuman, Strasbourg.
Directeur de publication :
Jean-Paul Bled.

Austriaca, revue du centre d'études et de recherches autrichiennes de l'université de Rouen.
Directeur de publication : Gilbert Ravy.

Numéros spéciaux

« Vienne début de siècle », *Critique,*
nos 339/340, Paris, éd. de Minuit, 1975.

« Vienne fin de siècle et modernité »,
Cahiers du MNAM, n° 14, Paris, 1984.

« Vienne 1880-1938 », *Revue d'Esthétique*, n° 9, Paris, 1985.

Europe Centrale, continent imaginaire,
Revue Autrement, n° 51 (H.S), février 1991.

Index des noms cités*

(*) Nous avons laissé les prénoms en allemand à l'exception de ceux des monarques selon l'usage admis.

L'EMPEREUR
DER KAISER

Chef de la Maison des Habsbourg-Lorraine-Personne privée
Chef des Hauses Habsburg-Lothringer — Privatmann

Chef suprême des armées
Oberster Kriegsherr

Armée et marine de guerre («Force armée»)
Heer und Kriegsmarine («Die bewaffnete Macht»)

Aides de camp et chancellerie militaire
Generaladjutantur u. Militärkanzlei

Gardes personnelles
Leibgarden
(«Administration militaire» («Militärischer Hofstaat»)

• **Première garde imp. et roy. des Arciers**
k.k. Erste Arcieren-Leibgarde

• **Garde royale hongroise**
kgl.-ungarische Leibgarde

• **Garde imp. et roy. des Trabans**
k.k. Trabanten-Leibgarde

• **Garde royale hongroise des Trabans**
kgl. ungarische Trabanten-Leibgarde

• **Escadron de la garde à cheval imp. et roy.**
k.u.k. Leibgarde-Reiter-Eskadron

• **Compagnie d'infanterie de la garde imp. et roy.**
k.u.k. Leibgarde-Infanterie-Kompagnie

Administration aulique Grandes directions
Hofstäbe (oberste Hofämter)

Chancellerie
Kabinettskanzlei

Grand intendant de Sa Majesté
Oberstofmeister Sr. Majestät
(Chambellan)
(Kämmerer)

Directeur de la chancellerie
Kammervorsteher

Valets de chambre
Leibkammerdiener

Garde-robe des uniformes
Uniformgardrobe

État major du grand écuyer
Oberstallmeisterstab
Grand écuyer
Oberststallmeister

Premier écuyer
Erster Stallmeister

Pages
Edelknaben

Valets d'arquebuse et laquais
Büchsenspanner u. Laksien

Écuries
Marstall

Équipages
Wagenburg

Haras
Gestüte

État major du grand maréchal
Oberstmarschallstab
Grand maréchal
Oberstmarschall

Juridiction pour les membres de la cour
Gerichtsbarkeit f. Hofangehörige
Interprètes
Dolmetscher

État major du grand chambellan
Oberstkämmmerstab
Grand chambellan
Oberstkämmerer

Salle des trésors et collections historiques
Schatzkammer und kunsthistorische Sammlungen
Collections scientifiques
wissenschaftliche Entreprises scientifiques
Unternehmungen

Bibliothèque de la cour
Hofbibliothek
Intendants des théâtres de la Cour
Intendanten der Hoftheater

Administrations des bâtiments
Gebäudeverwaltungen
Bureau des comptes
Rechnungs-department
Service des comptes de la cour
Hofcontrollorant
Paroisse du Burg et de la Cour
Hof-u. Burgpfarrei

Ordres de la chevallerie :
Ritterorden :

Ordre impérial autrichien de François-Joseph
Kaiserl.-österr. Franz Josephs-Orden

Ordre impérial autrichien de la Couronne de fer
Österr.-kaiserl. Orden d. Eisernen Krone

Les Ordres de la Croix à l'étoile
Der Sternkreuzorden

Ordre impérial autrichien de Léopold
Österr.-kaiserl. Leopolds-Orden

Ordre royale hongrois de Saint-Étienne
Kgl.-ungar. St. Stephans-Orden

Ordre de la Toison d'or
Orden vom Goldenen Vlieb

Ordre militaire de Marie-Thérèse
Militär-Maria Theresien-Orden

Dignités de la Cour
Die Hofwürden

Ecuyer tranchant impérial et royal
k.u.k. Truchseb

Chef de protocole impérial et royal
k.u.k. Unterstabelmeister

Conseiller impérial et royal de la Cour
k.u.k. Hofrat

Chambellan impérial et royal
k.u.k. Kämmerer

Conseiller privé impérial et royal
k.u.k. Geheimer Rat

Dames du palais impérial et royal
k.u.k. Palastdamen

«Administration extérieure»
«Äuberer Hofstaat»

Direction de l'État
Staatsoberhaupt

Parlements
Parlamente

Pr l'Autriche, le «Reichsrath»
f. Österreich «Reichsrath»
Pr la Hongrie, le «Reichstag»
f. Ungarn «Reichstag»

Gouvernement («Ministère»)
Regierung («Ministerium»)

Président du Conseil des ministres
Ministerpräsident («Ministerratspräsident»)

État major du grand intendant
Obersthofmeisterstab
Premier grand intendant
Erster Obersthofmeister

En Hongrie : maréchal de la cour
Hofmarschall in Ungarn
Service de la cour
Hofdienste :
Grand cuisinier
Oberstküchenmeister
Grand chef du protocole
Oberststabelmeister
Grand chasseur
Oberstjägermeister
Grand maître des cérémonies
Oberstzeremonienmeister
Hérauts
Herolde

Ministères impériaux et royaux communs aux deux parties de l'empire
K.u.k. gemeinsame Ministerien für beide Reichshälften

• **des Affaires étrangères et de la maison impériale**
des Auberen und des kaiserlichen Hauses
• **ministère des Finances de l'Empire**
Reichsfinanzministerium
• **ministère de la Guerre**
Kriegsministerium

Représentations diplomatiques et consulaires
Diplomatische und konsularische Vertretungen

Ministères impériaux et royaux (ressorts) pour la partie autrichienne de l'empire
K.k. Ministerien (Ressorts) f.d. Öster. Reichshälfte
• **de l'Intérieur**
des Innern
• **des Finances**
für Finanzen
• **du Commerce**
für Handel
• **de l'Agriculture**
für Ackerbau
• **du culte de l'Enseignement**
für Kultus und Unterricht
• **des Chemins de fer**
für Eisenbahnen
• **de la Justice**
für Justiz
• **des Travaux publics**
für öffentliche Arbeiten
• **de la Défense nationale**
für Landesverteidigung
• **sans portefeuille («ministère des Diètes») etc.**
ohne Portefeuille («Landsmann-Minister»)
u.a.

Ministère royal hongrois avec son président du Conseil des ministres et un ministère des Ressorts pour la partie hongroise de l'empire
Kgl. ungar. Ministerium mit Ministerpräsident und Ressortministerium für die ungarische Reichshälfte

ISBN 2-87900-207-9
© Paris-Musées, 1995
Éditions des musées de la Ville de Paris

Diffusion Paris-Musées
31, rue des Francs-Bourgeois
75004 Paris
Dépôt légal : septembre 1995

Cet ouvrage est composé en GillSans
et en Bernhardt Moderne

Flashage :
Delta +, Paris

Photogravure :
Pérenchio, Paris

Papier :
Ikonofix mat 150 g, papeteries Zanders

Impression :
SIA, Lavaur

Achevé d'imprimer sur les presses
de la Société de l'Imprimerie artistique,
en septembre 1995

Conception graphique :
Gilles Beaujard

Secrétariat de rédaction :
Catherine Chasseignaux

Chef de fabrication :
Sabine Brismontier

Assistante de fabrication :
Audrey Chenu

Légendes de couverture :
Tenu de cour d'officier supérieur de la
première garde des Arciers.
Vers 1910. Détail.
© Kunsthistorisches Museum. D. R.

L'empereur François-Joseph, suivi des
archiducs et des officiers suprêmes de
l'armée, se rend au repas de gala
donné à l'occasion du centenaire de
l'ordre militaire de Marie-Thérèse,
1857
Tableau de Fritz L'Allemand. Détail.
© Kunsthistorisches Museum. D. R.

crédits photos

Bildarchiv Prof. Franz Hubmann
(Fachet/Wien u. a.), Bildarchiv der
Österreichissen Nationalbibliotheck
(D'Ora, Kosel, Rabending),
Kunsthistorisches Museum
(photographes : Ali Meyer, Konrad
Reiner), alle Wien - Andras Dabasi
(Budapest), Fotostudio Otto, Wien

Textes de Georg J. Kugler
et illustrations (sauf Archives de la
Bibliothèque nationale autrichienne
p. 30, ill. 10 ; p. 31, ill. 11 ; p. 33, ill. 13 ;
p. 34, ill. 14 ; p. 35, ill. 15 ; p. 37, ill. 16 ;
p. 39, ill. 17 / Franz Hubman p. 32,
ill. 12 / Fotostudio Otto, Vienne p. 108,
ill. 93 ; p. 130, ill. 111 / Andras Dabasi,
Budapest p. 86, ill. 76 ; p. 130, ill. 110)
reprises de : *Des Kaisers Rock, Uniform
und Mode am Österreichischen Kaiserhof
1800 bis 1918.*
© Kunsthistorisches Museum, Wien.
Tous droits réservés. Reproduit avec
leur aimable autorisation.